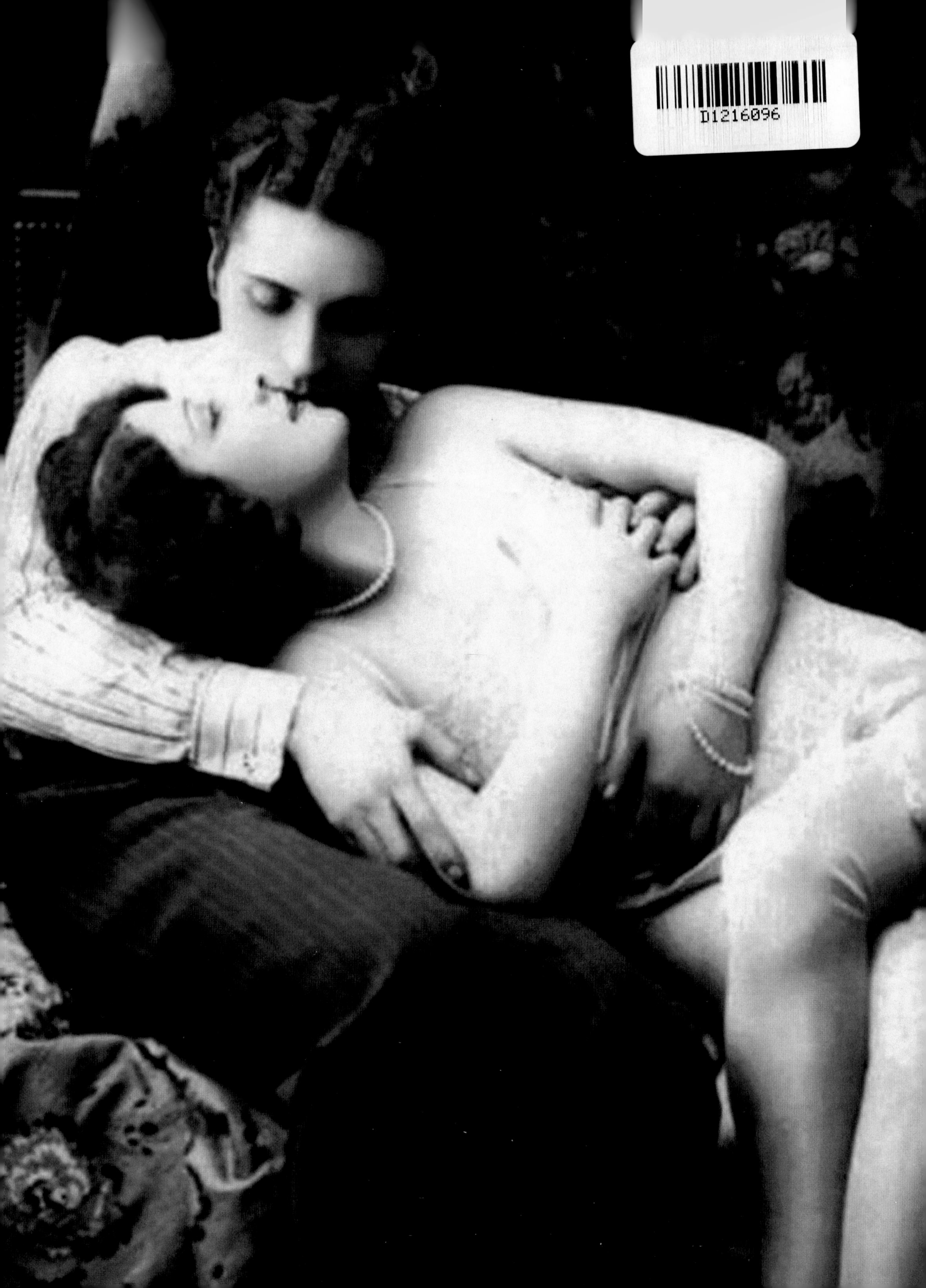

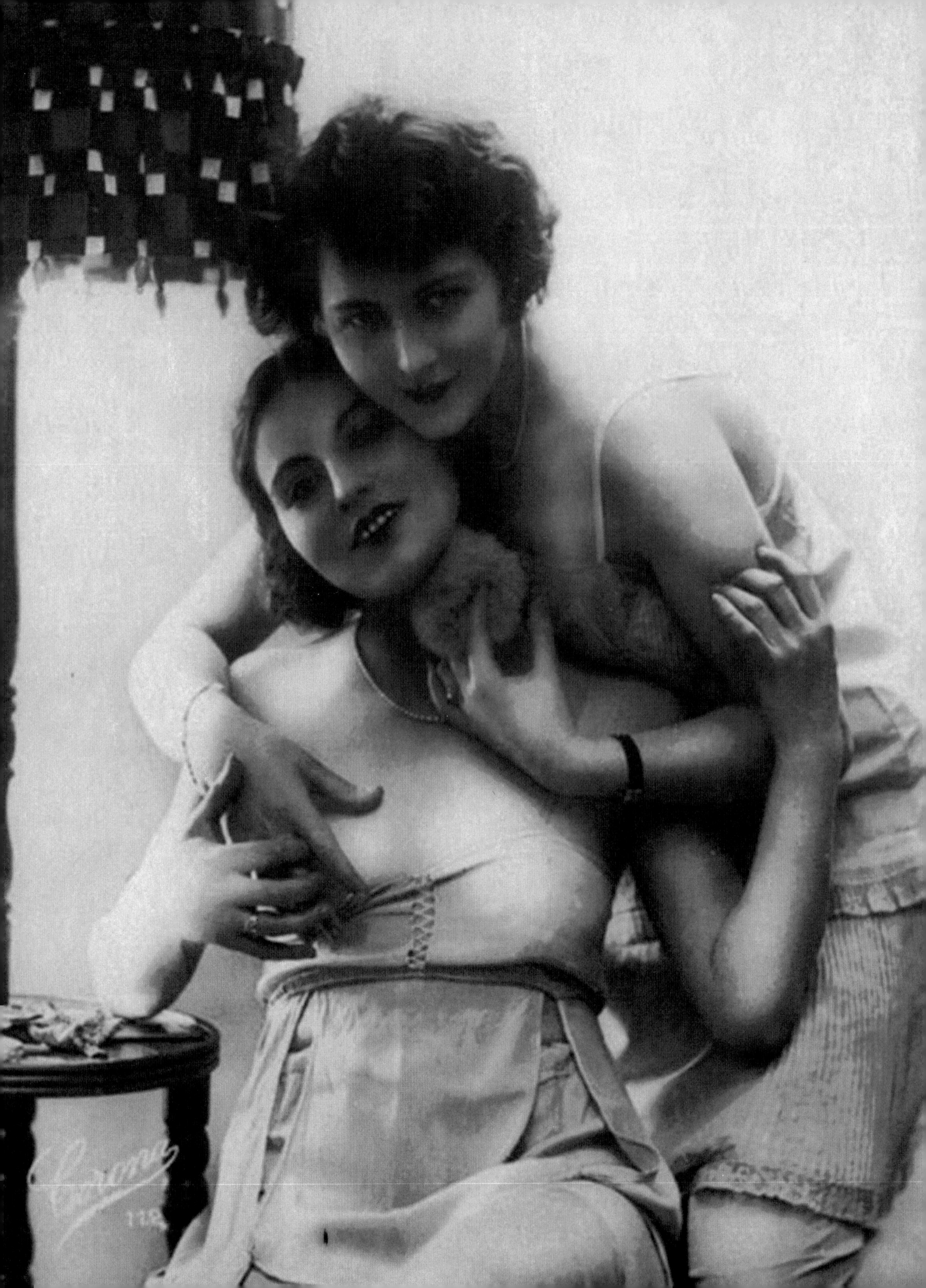
118

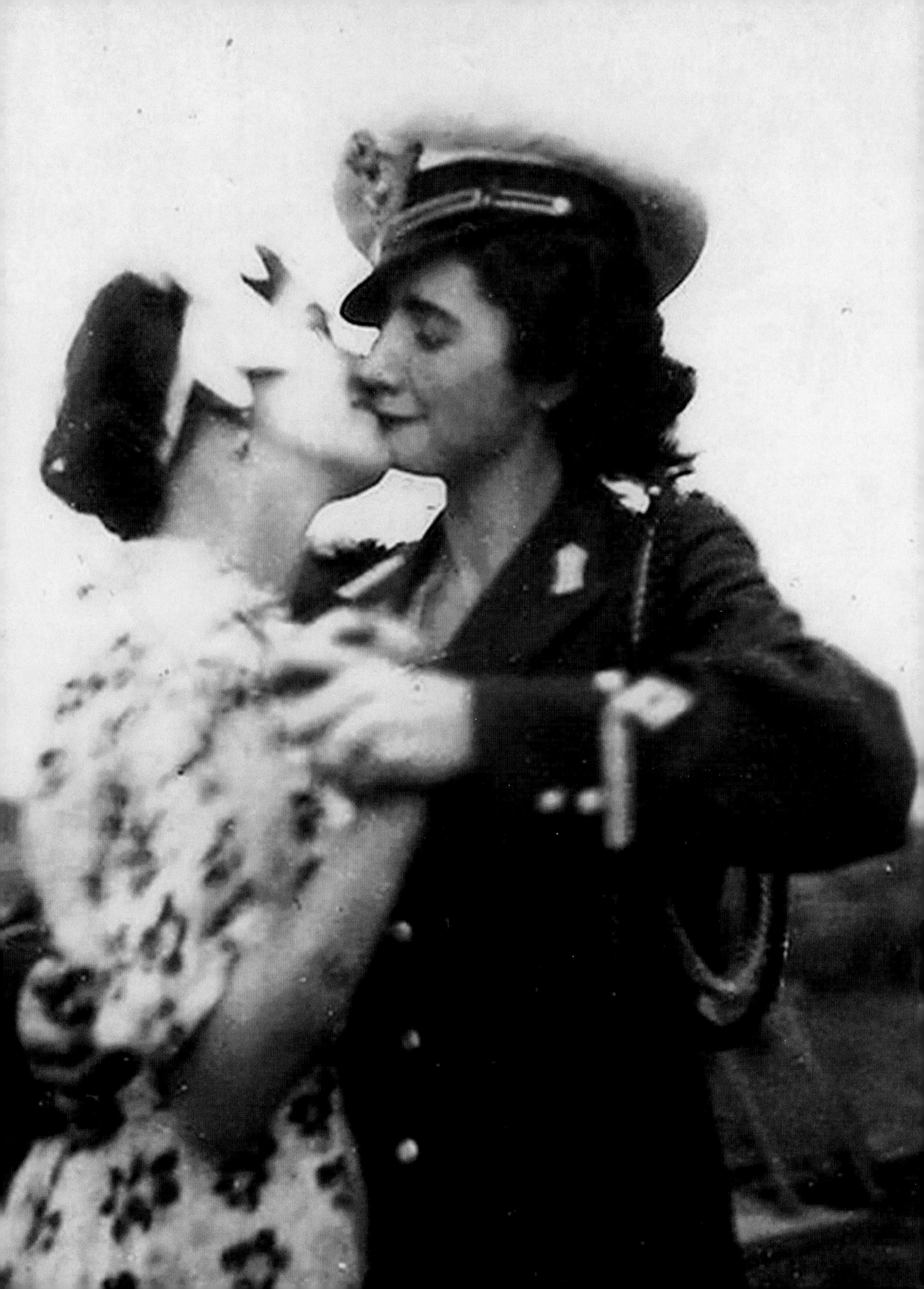

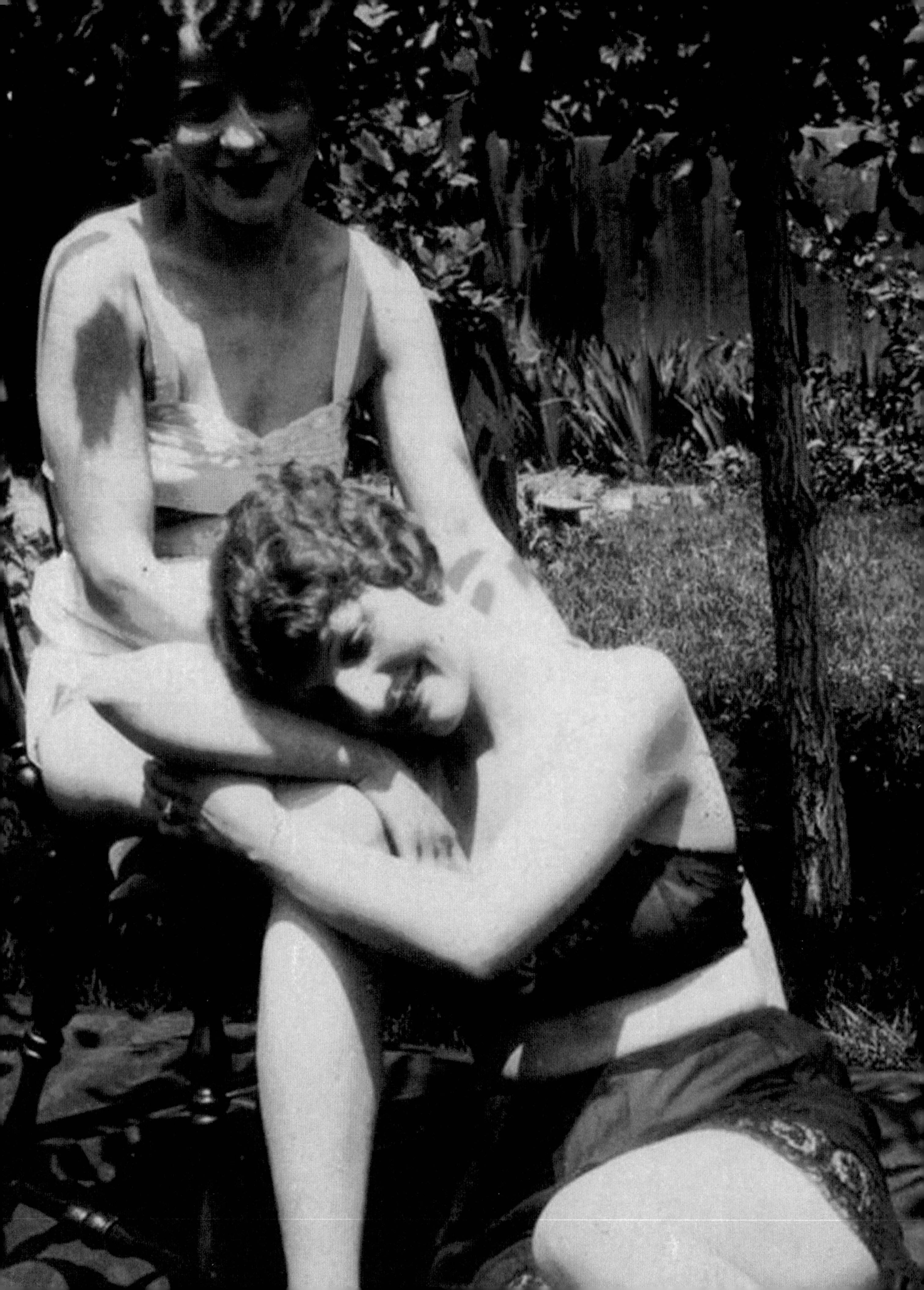

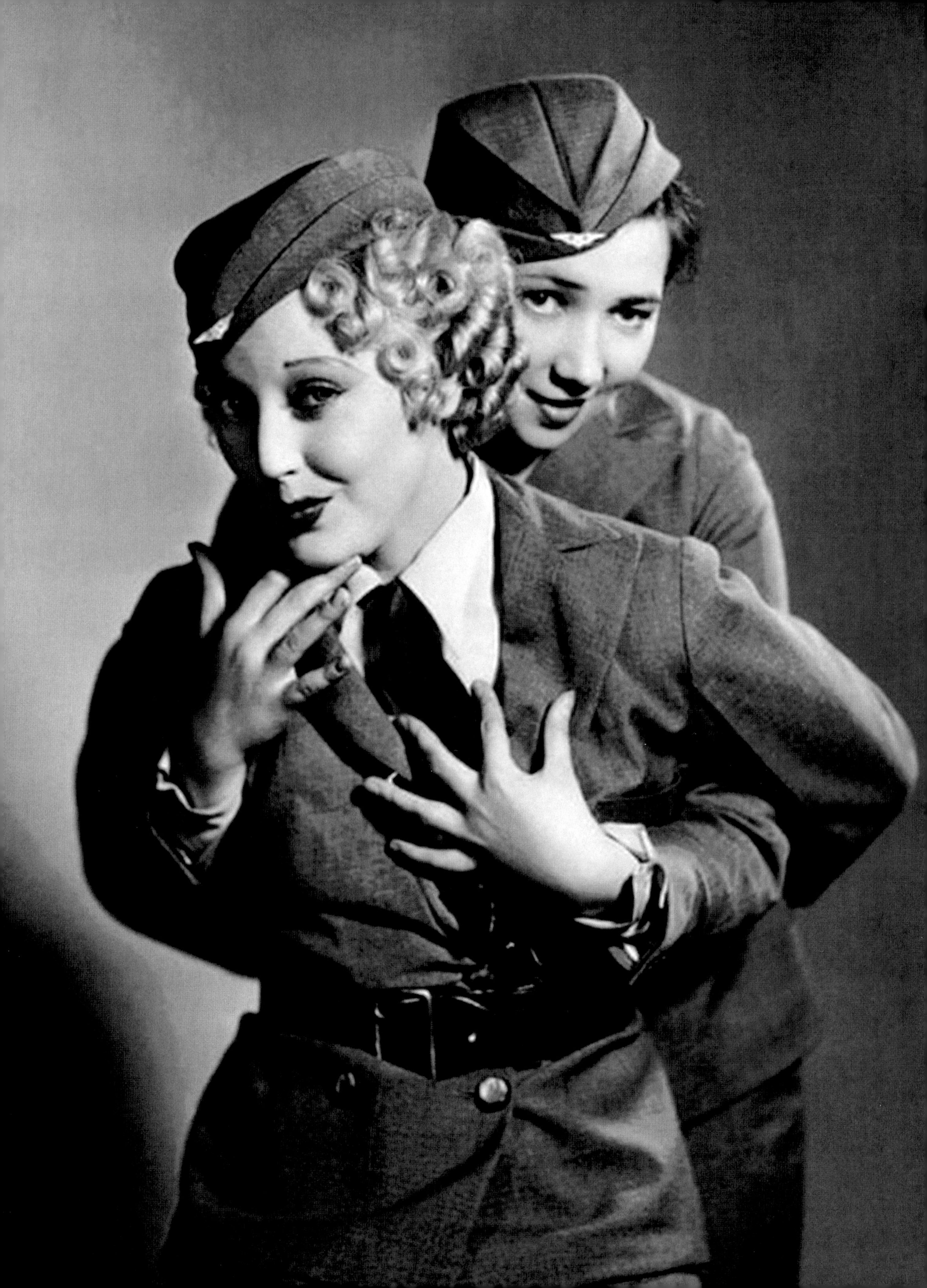

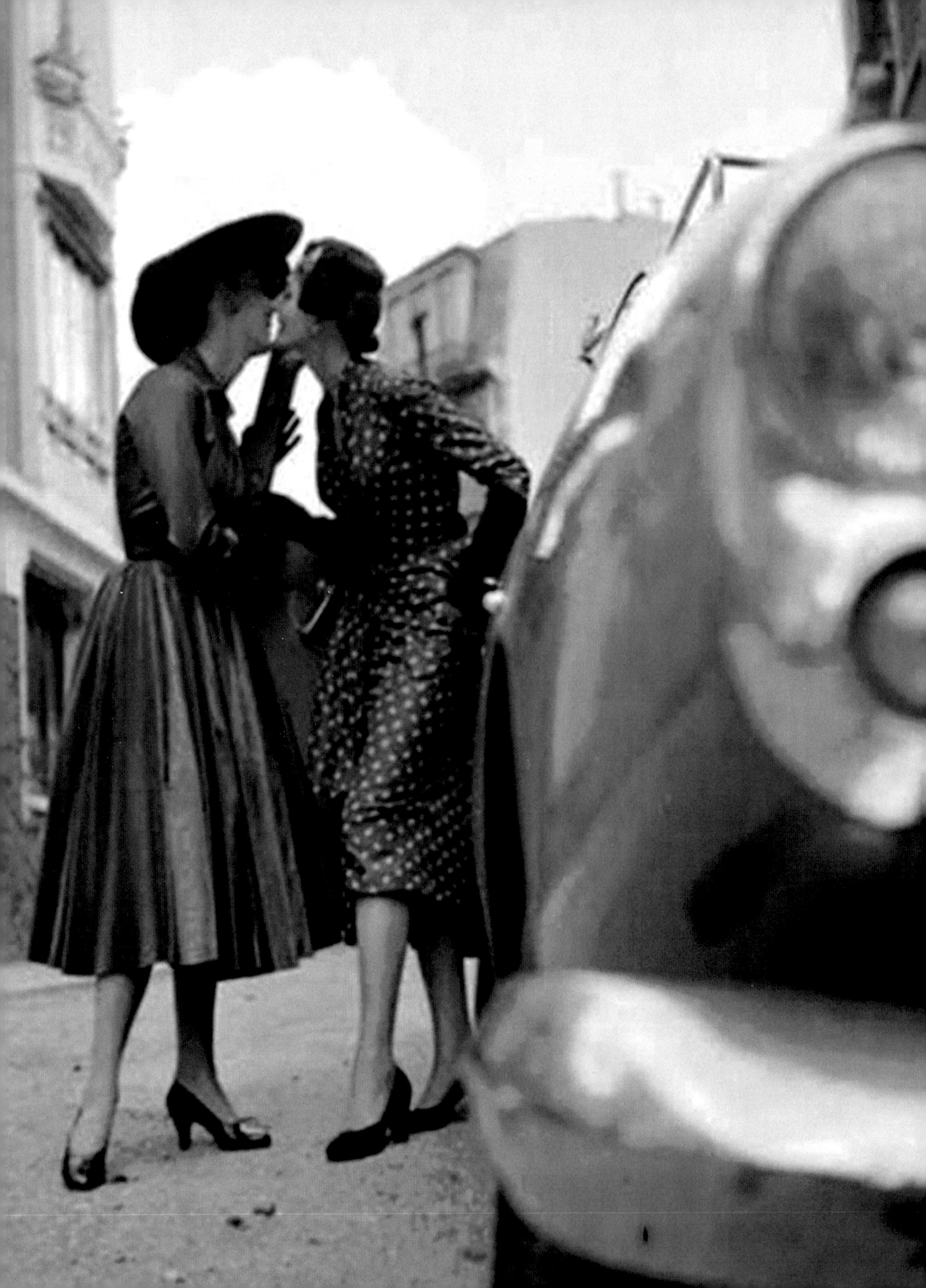

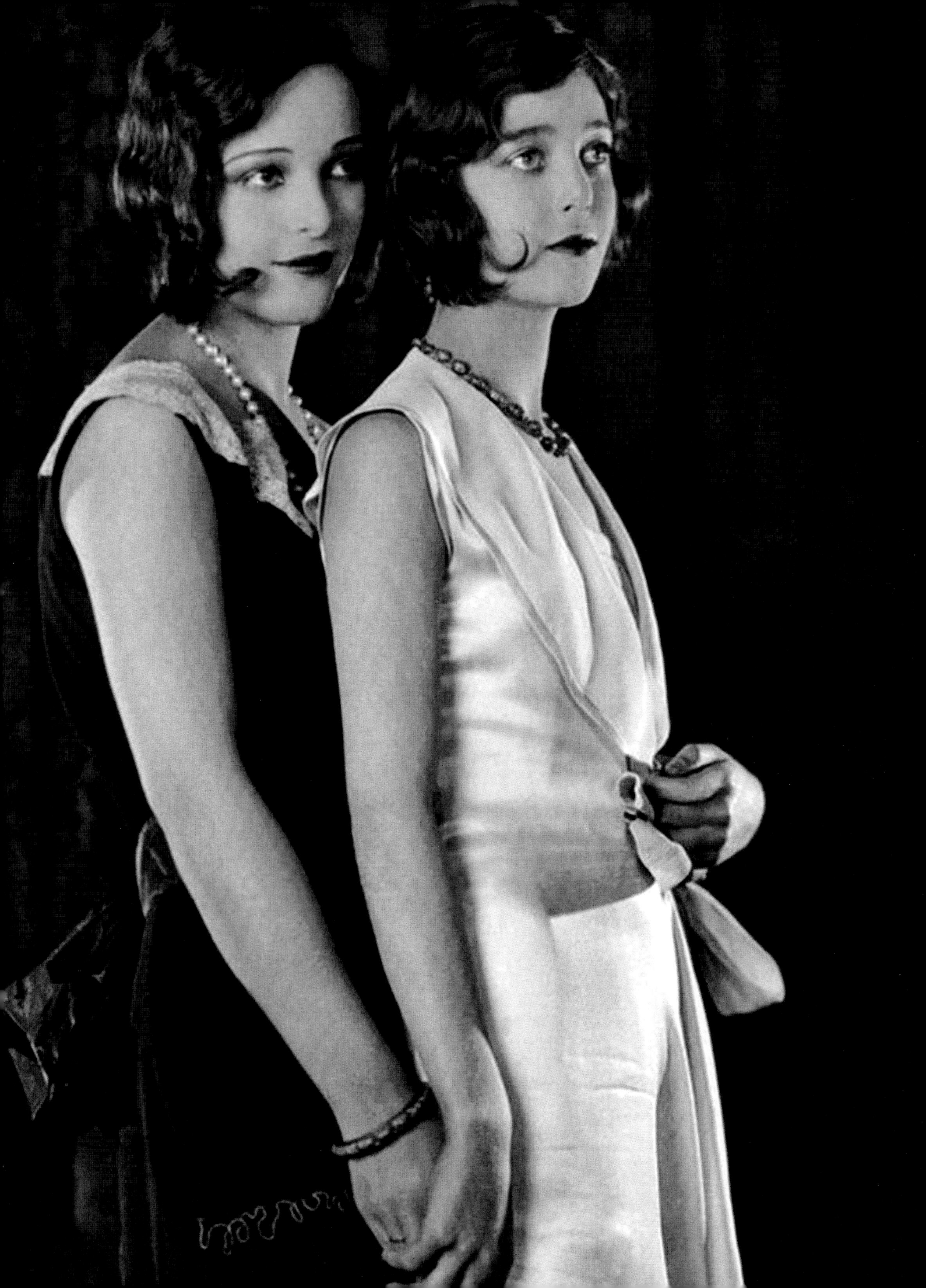

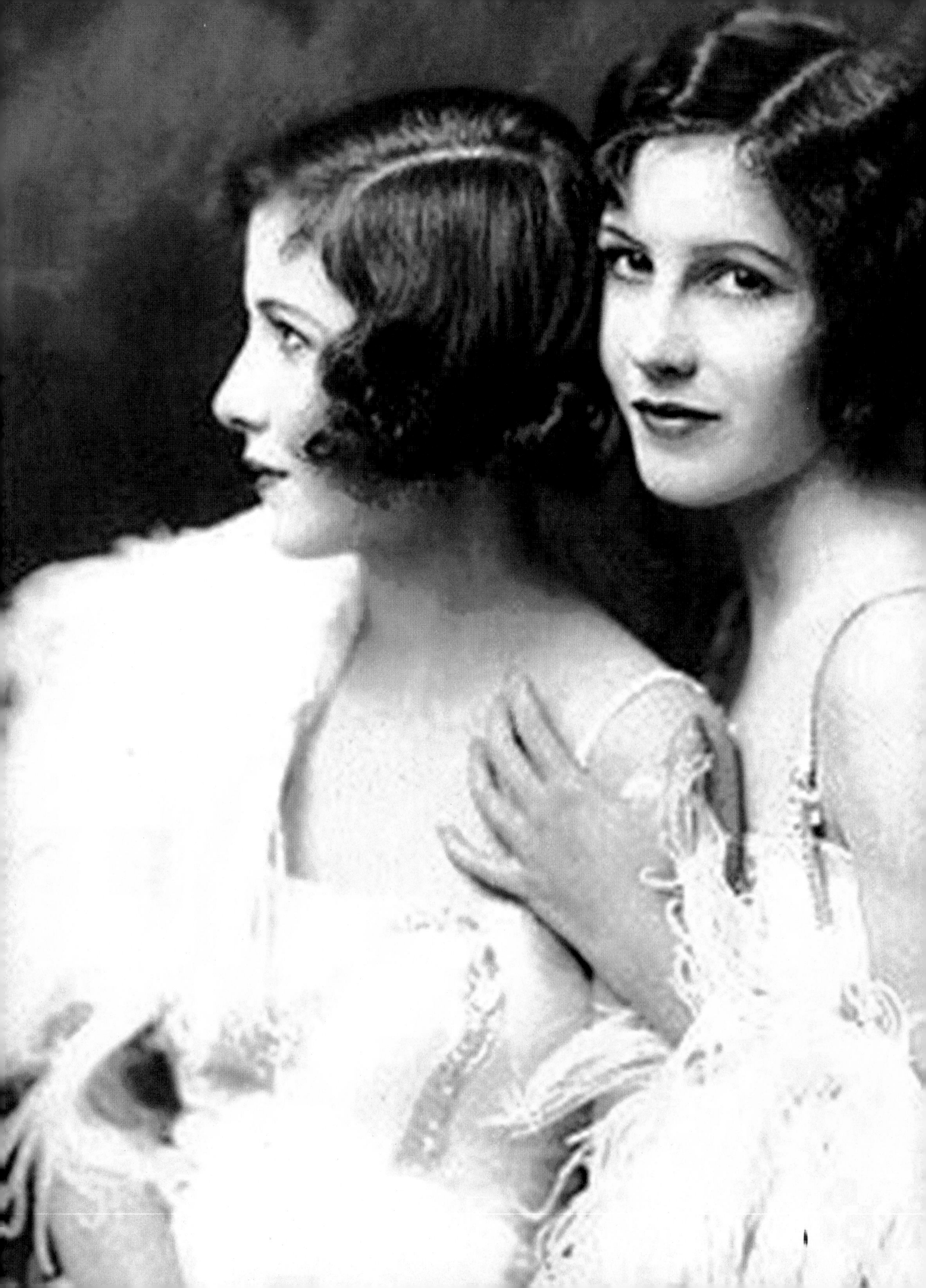

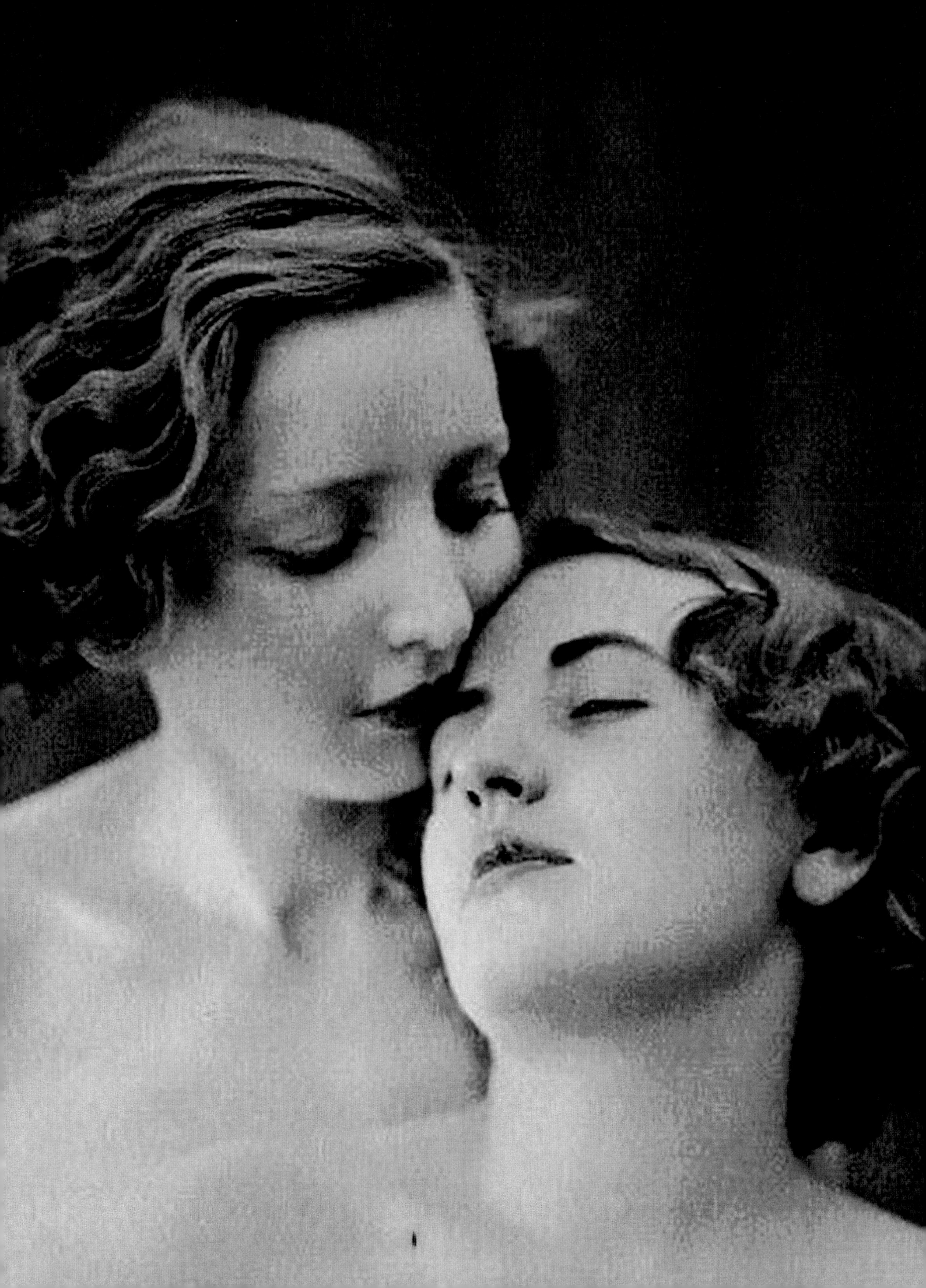

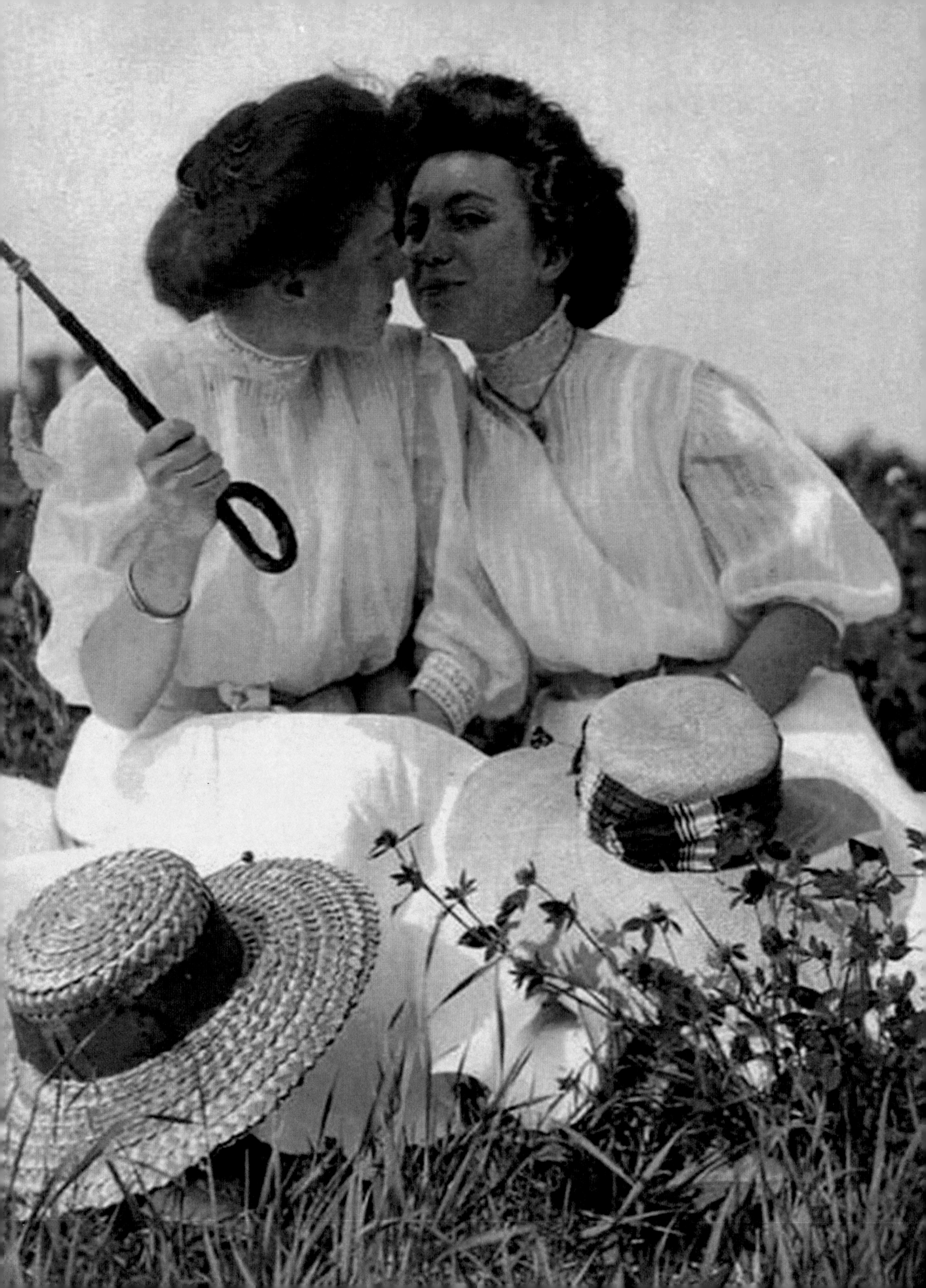

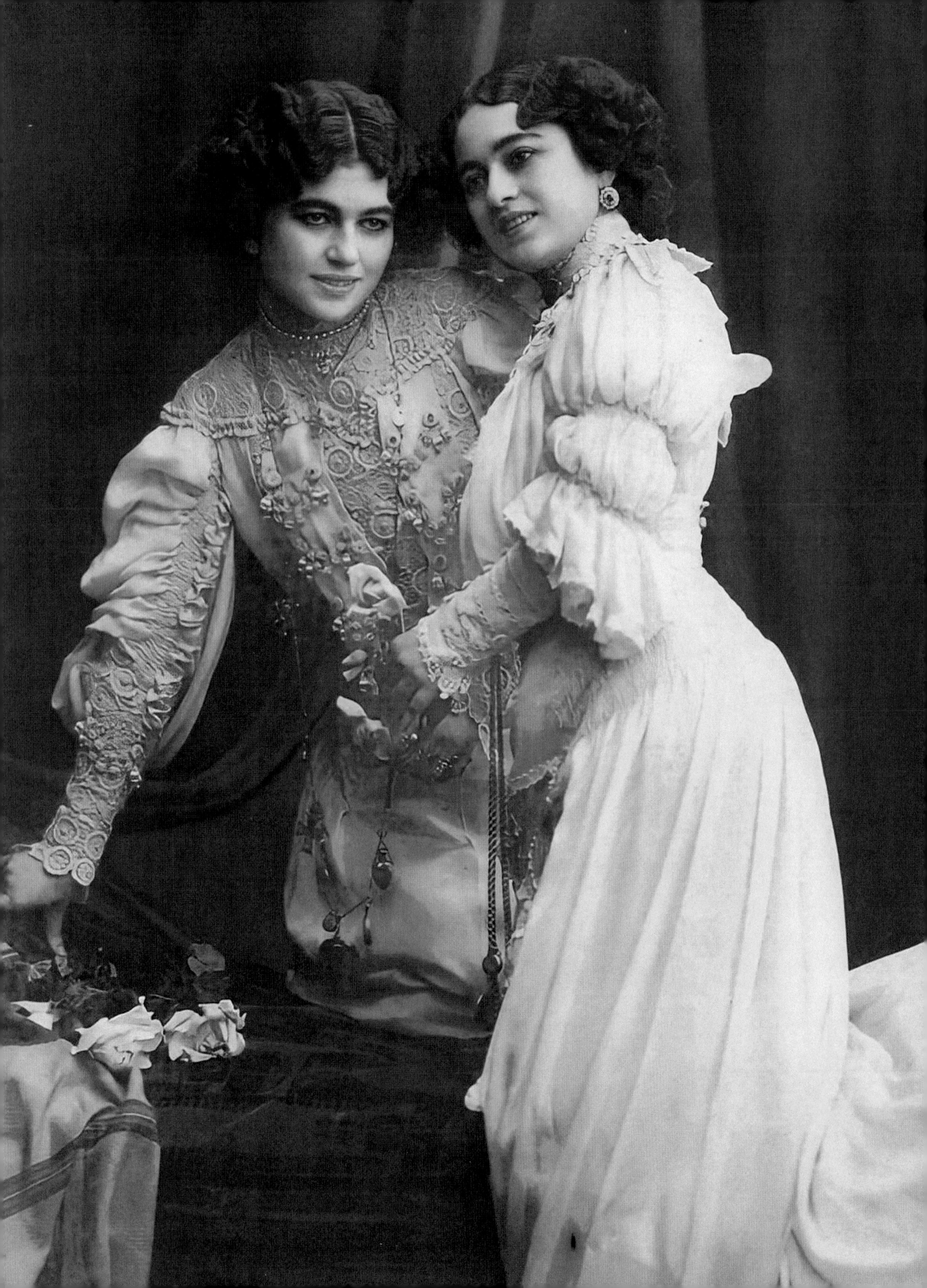

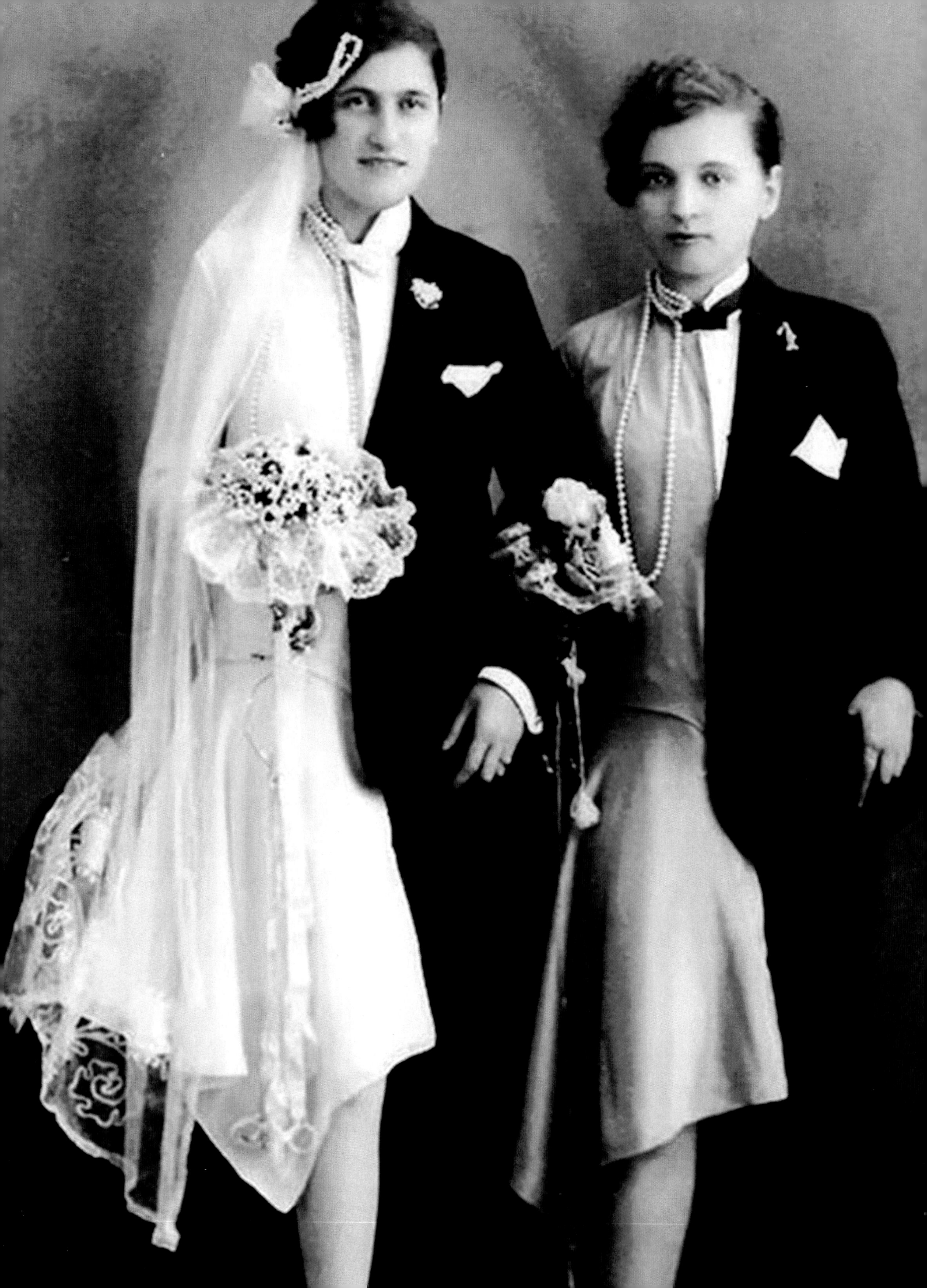

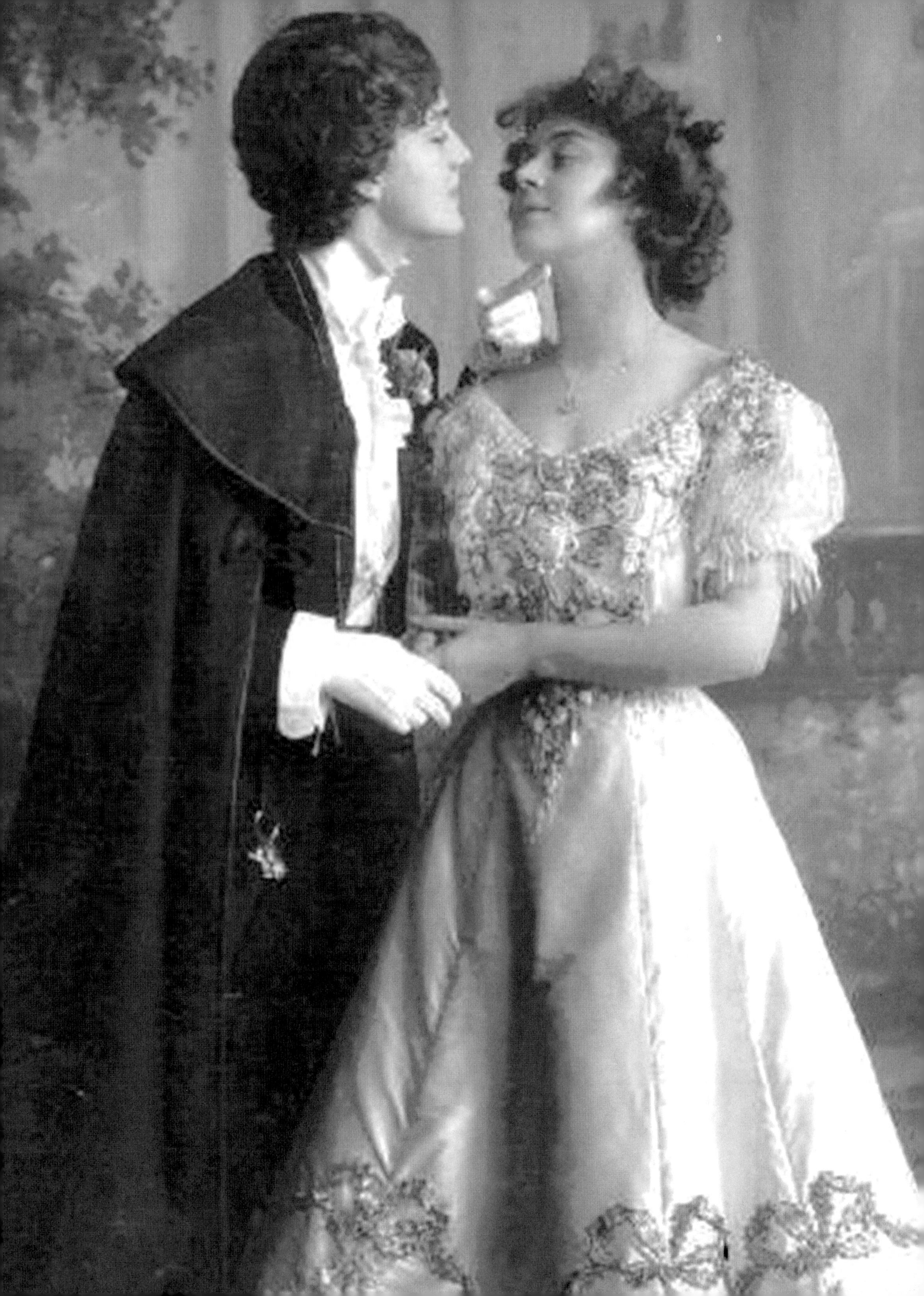

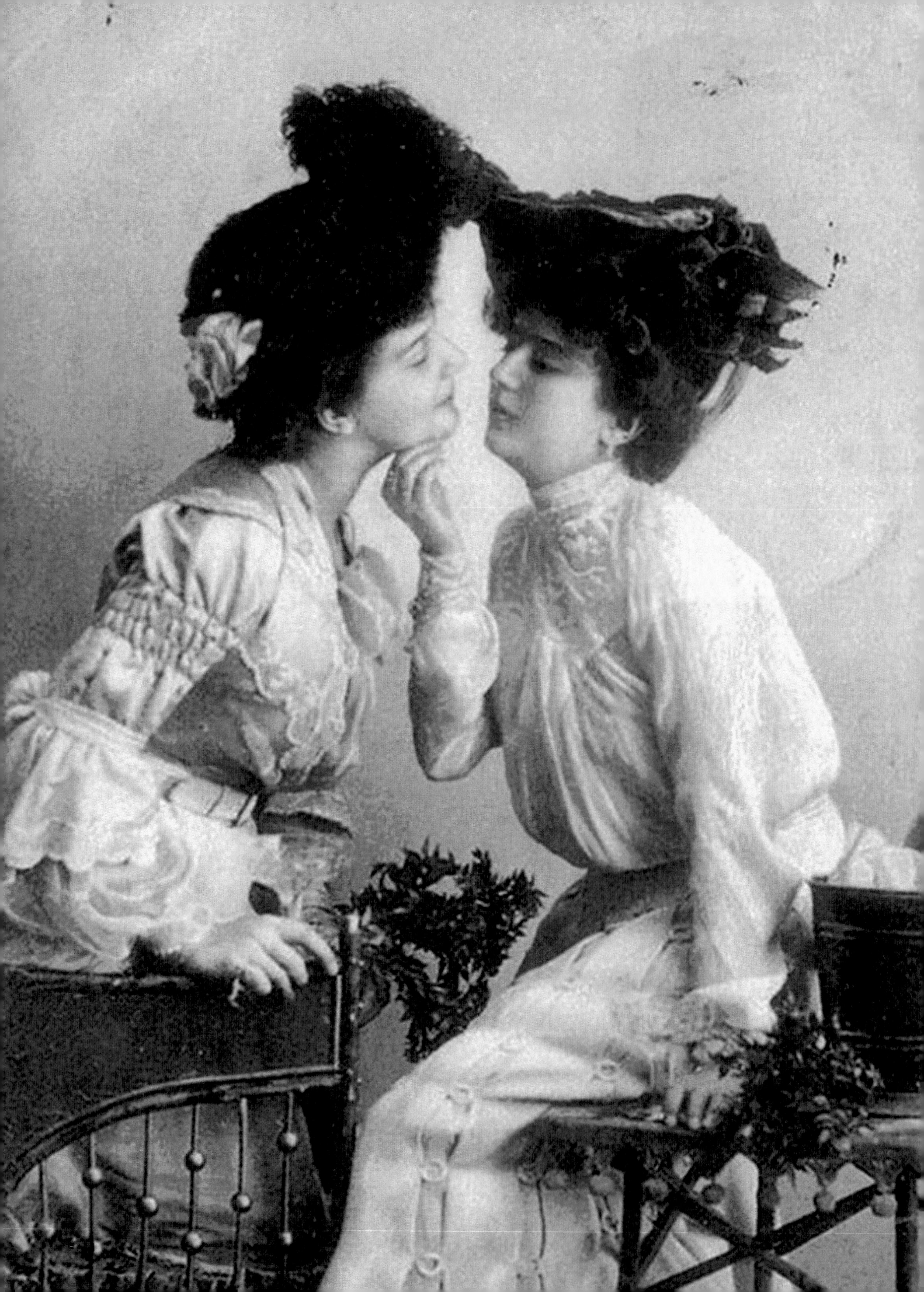

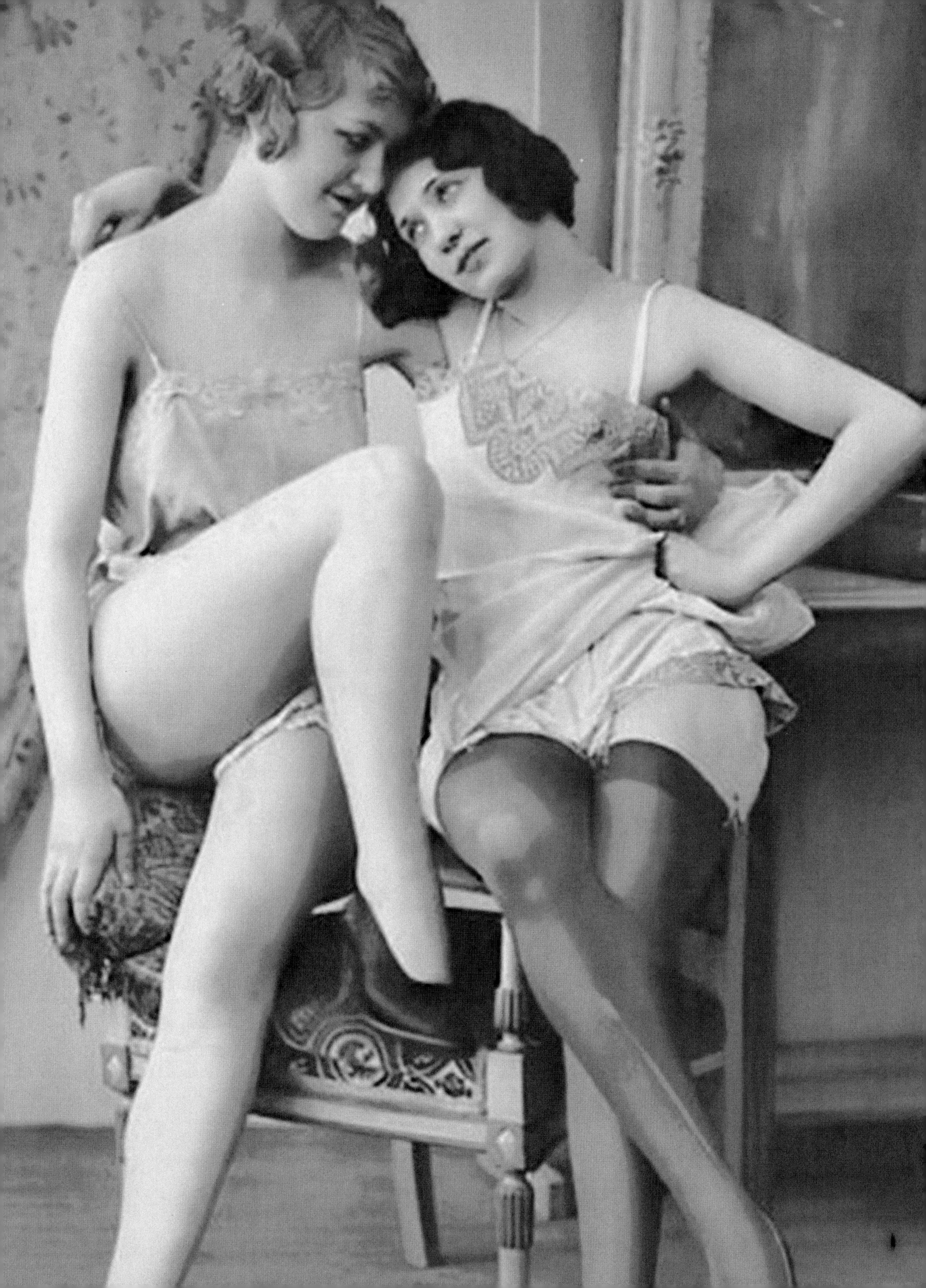

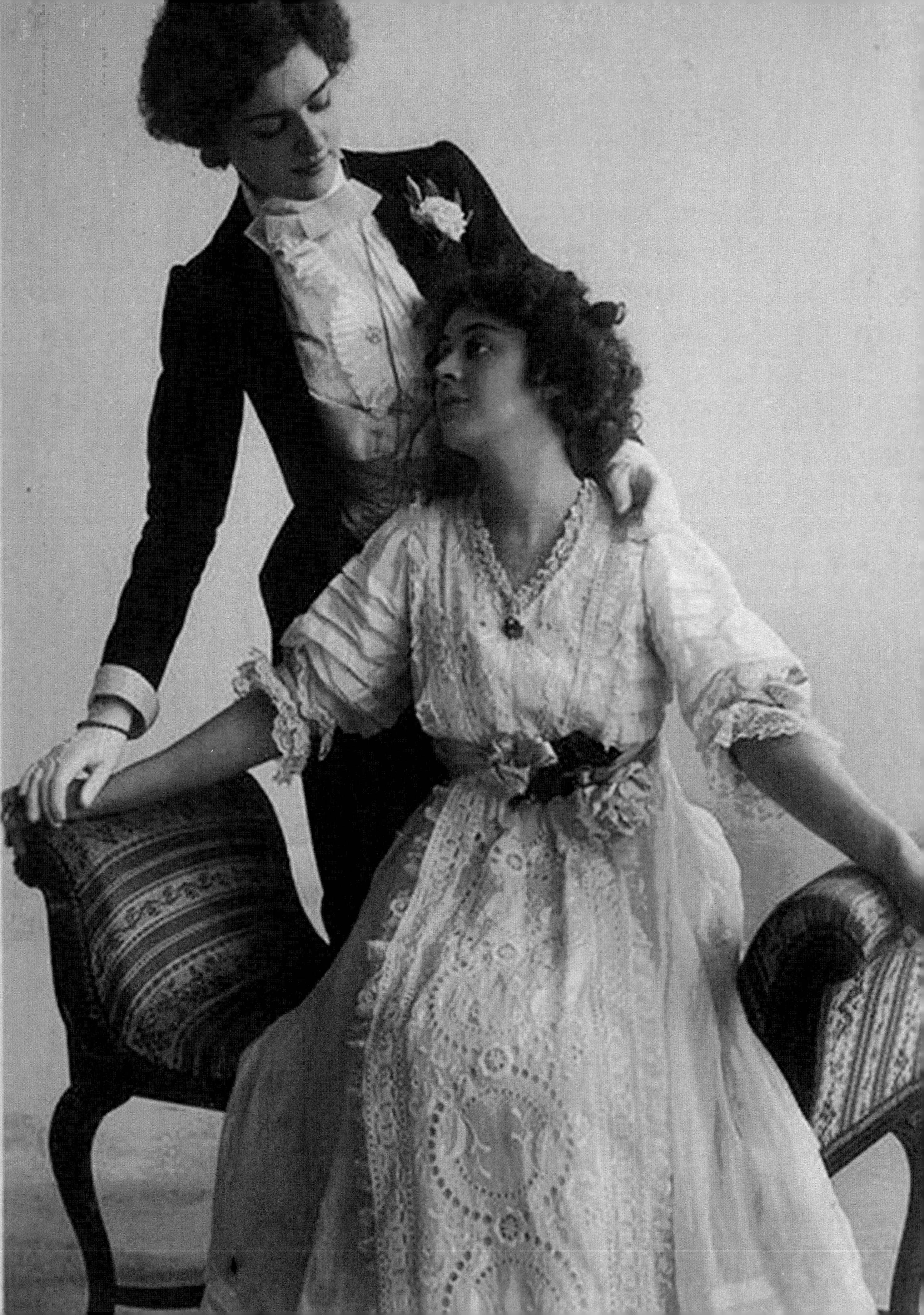

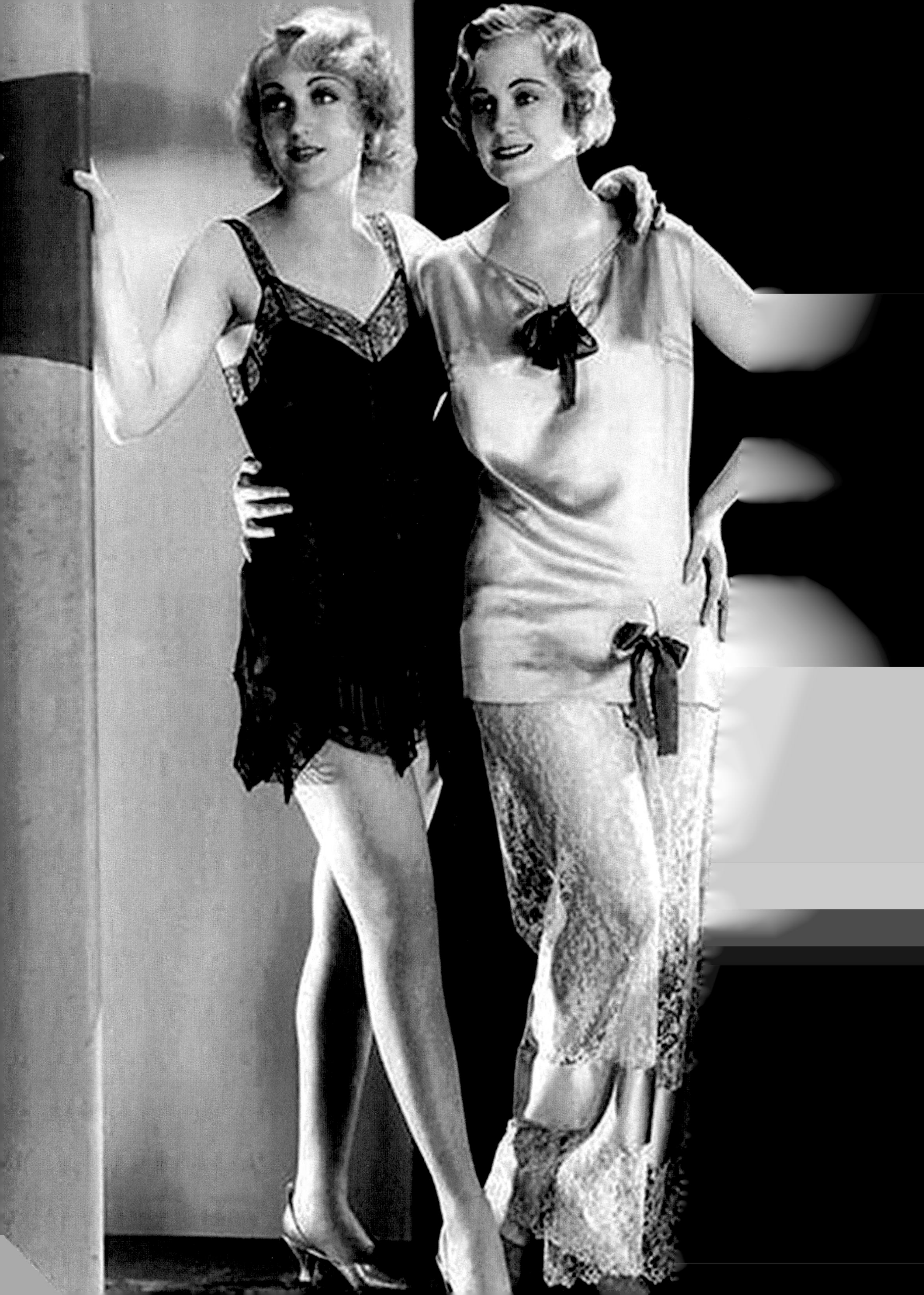

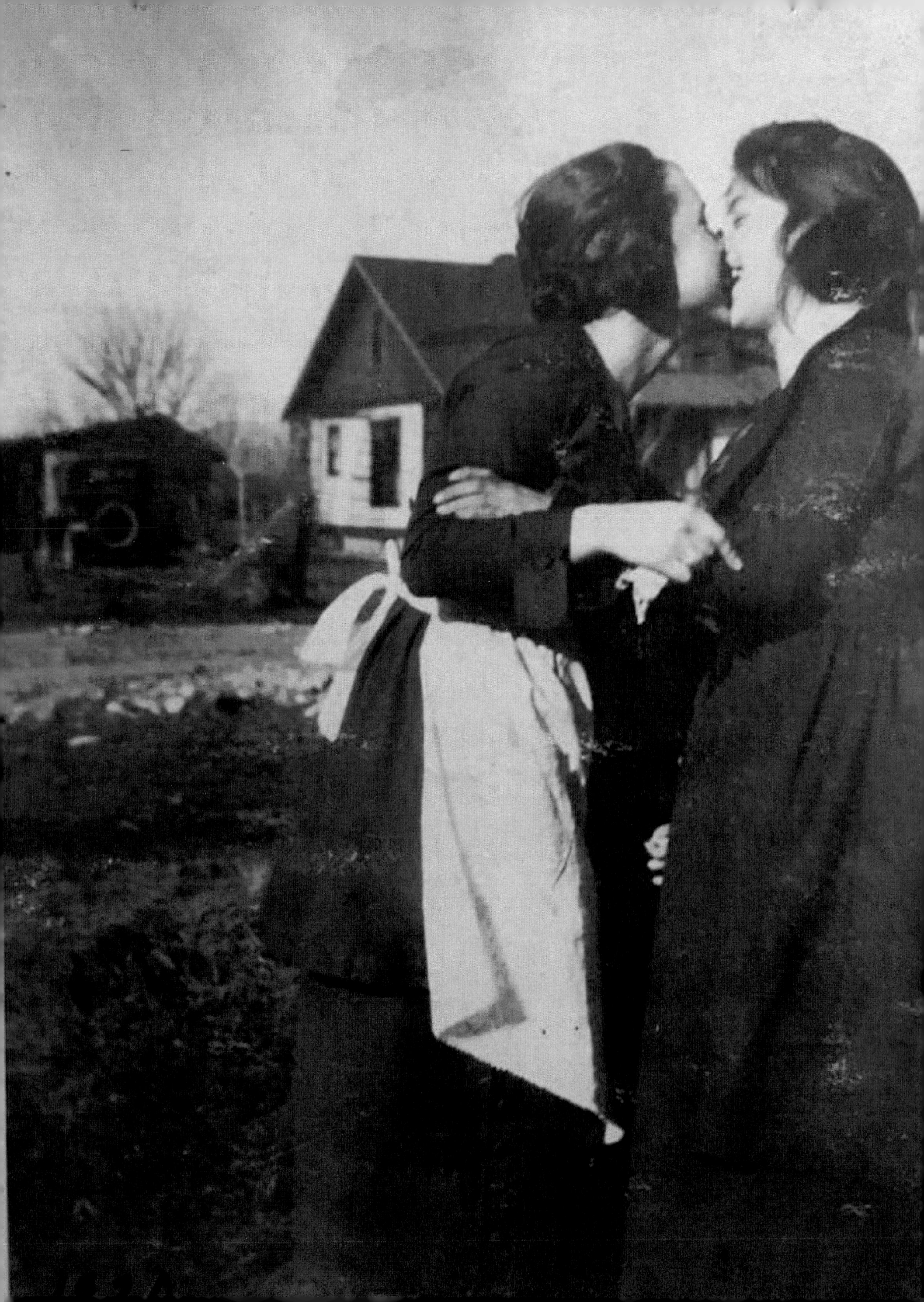

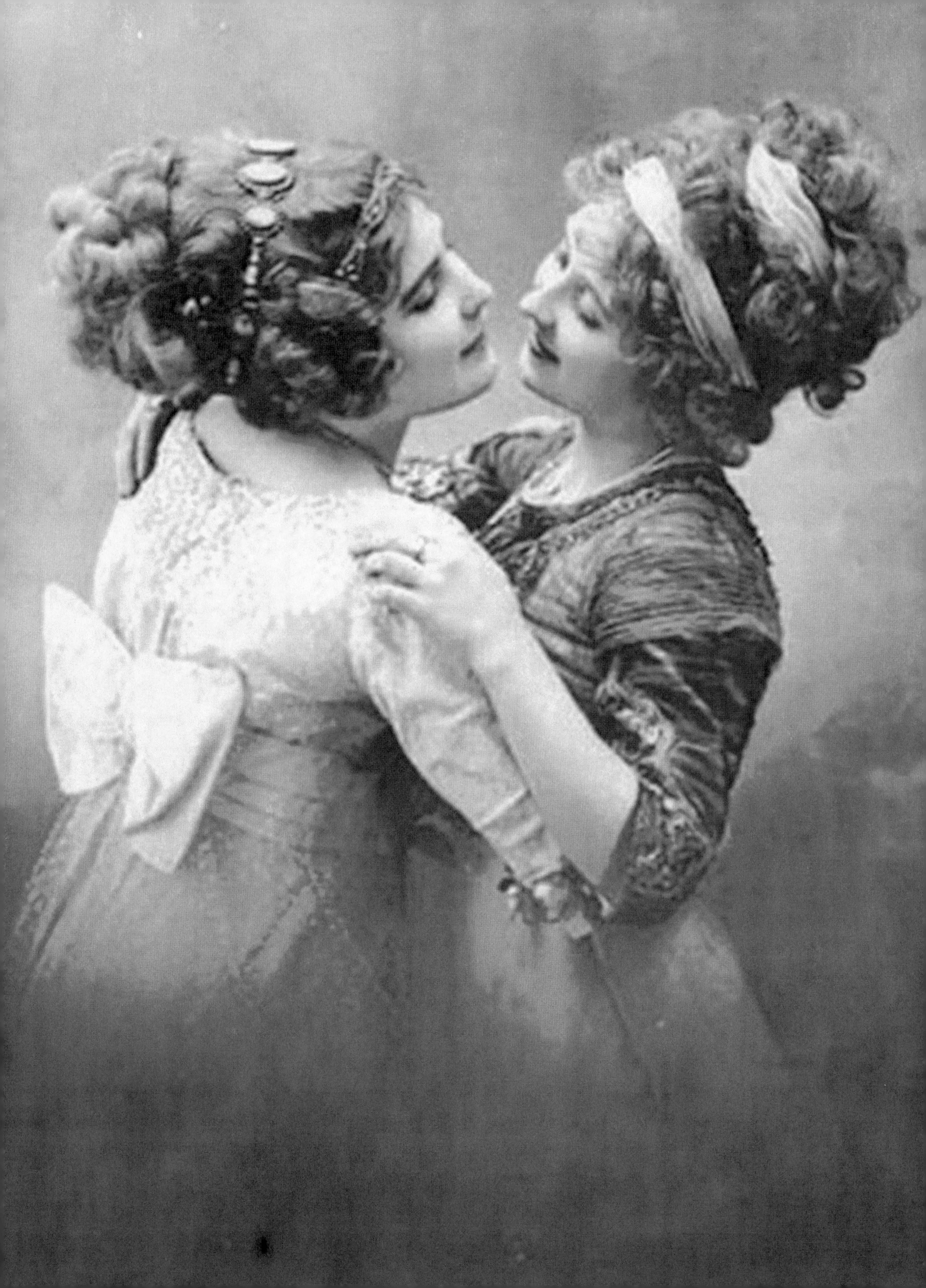

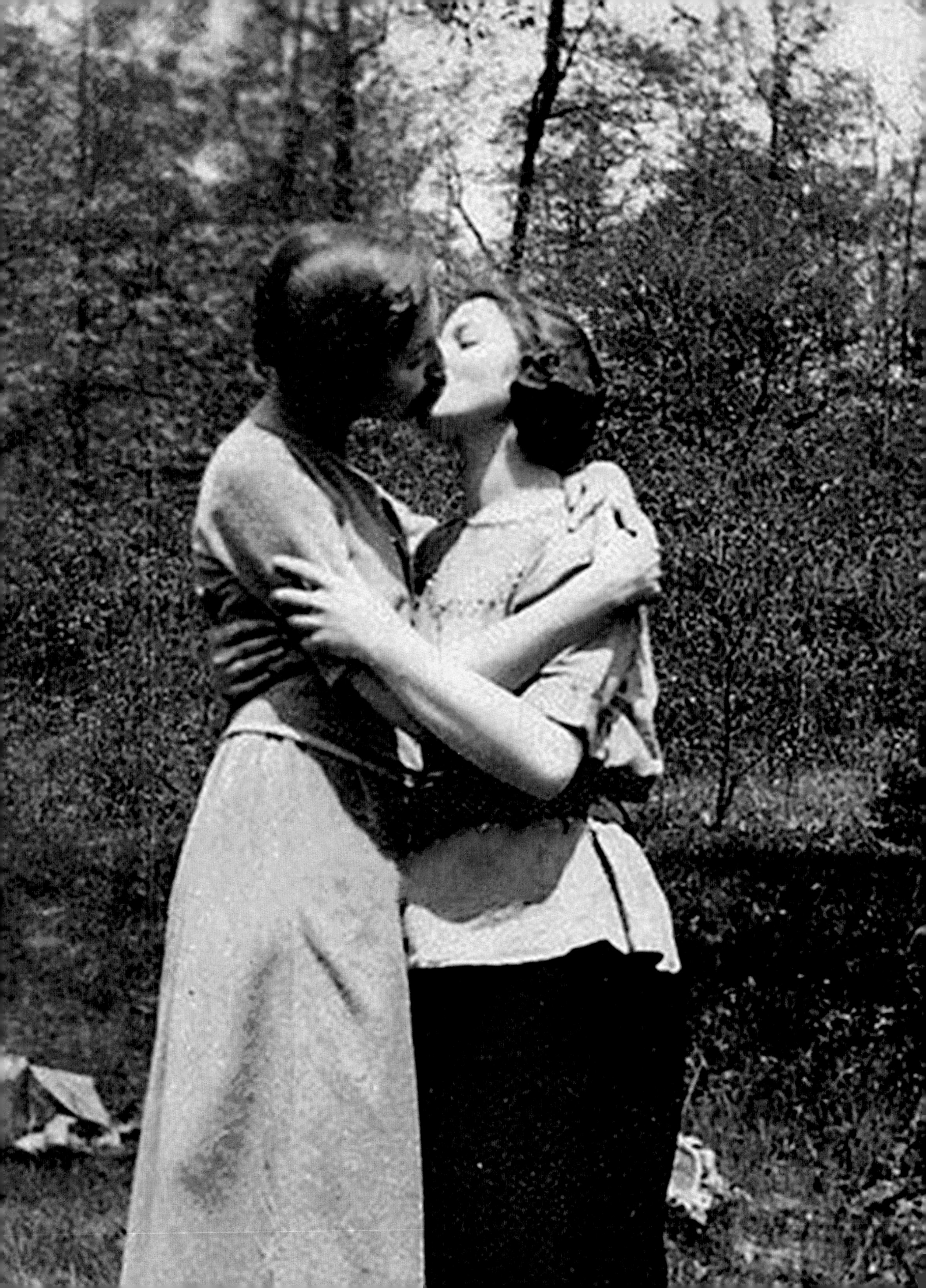

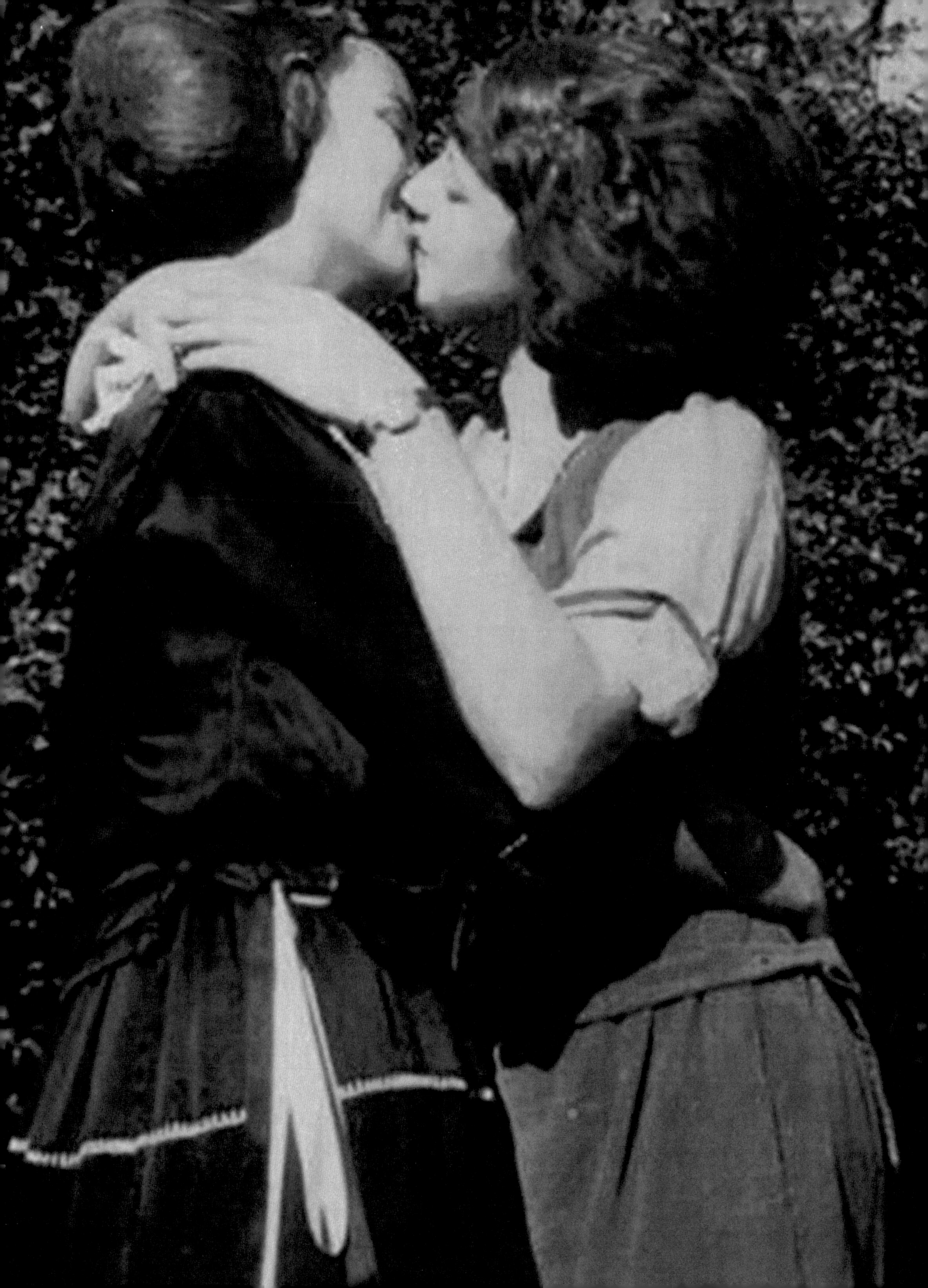

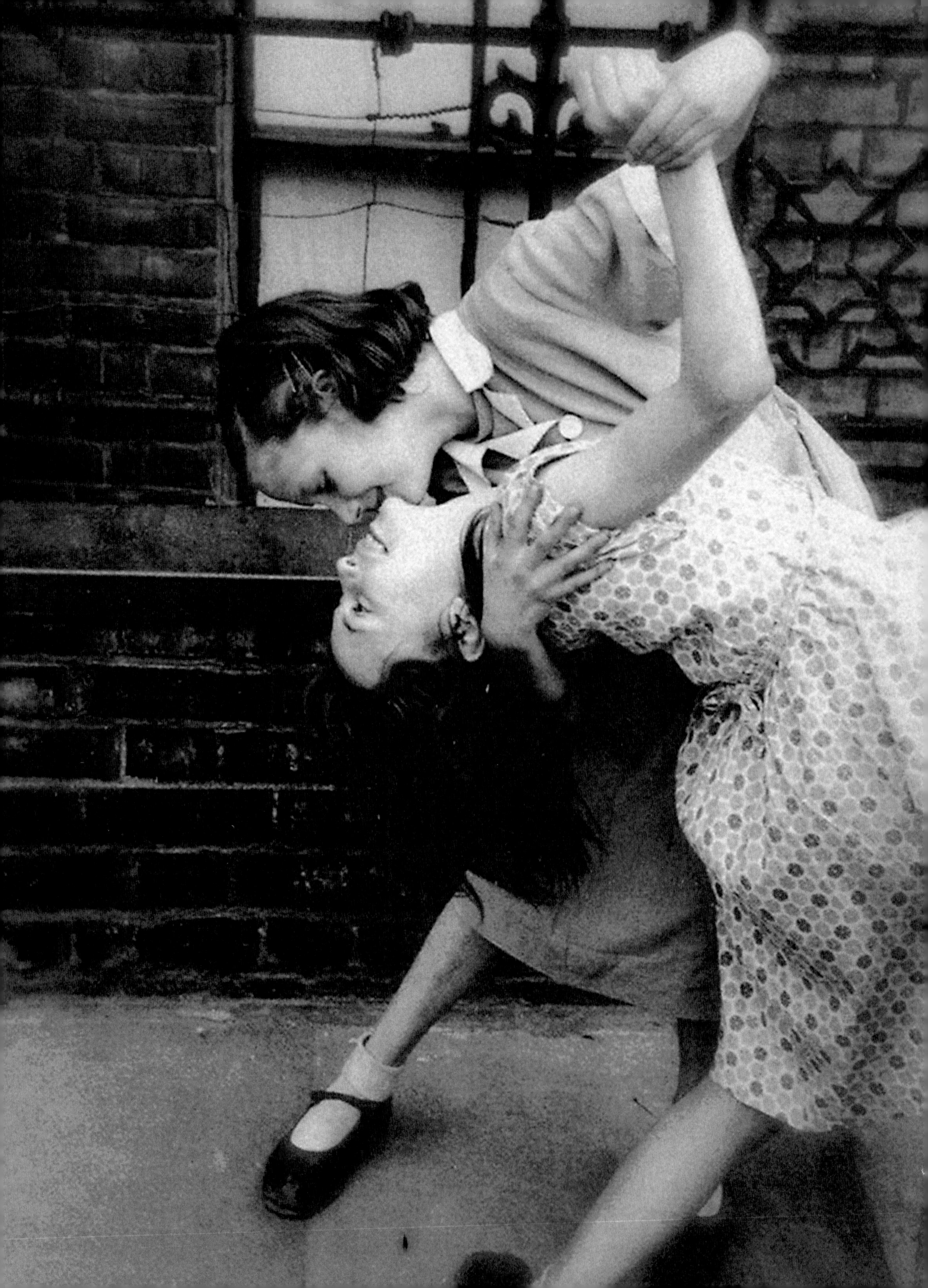

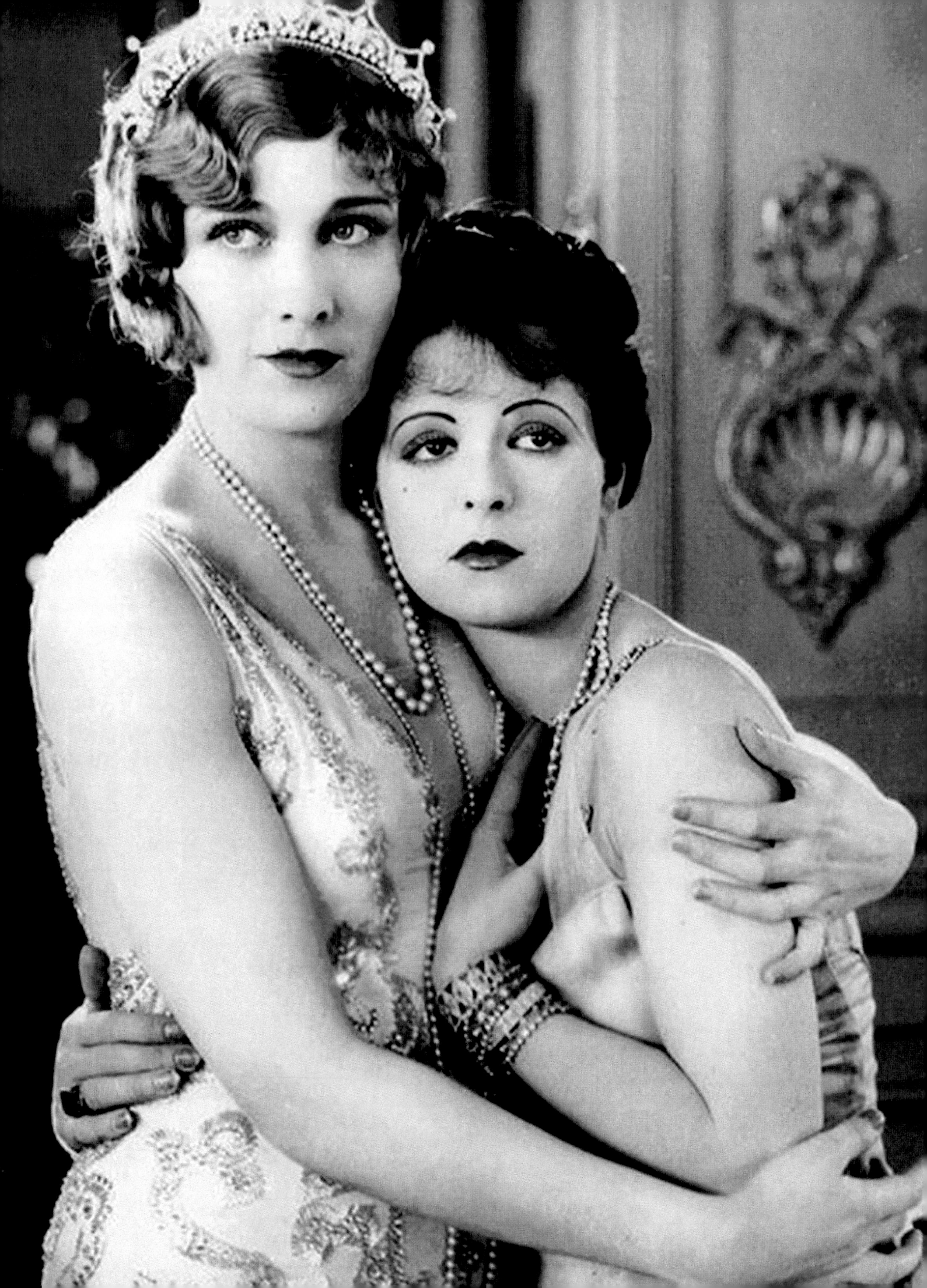

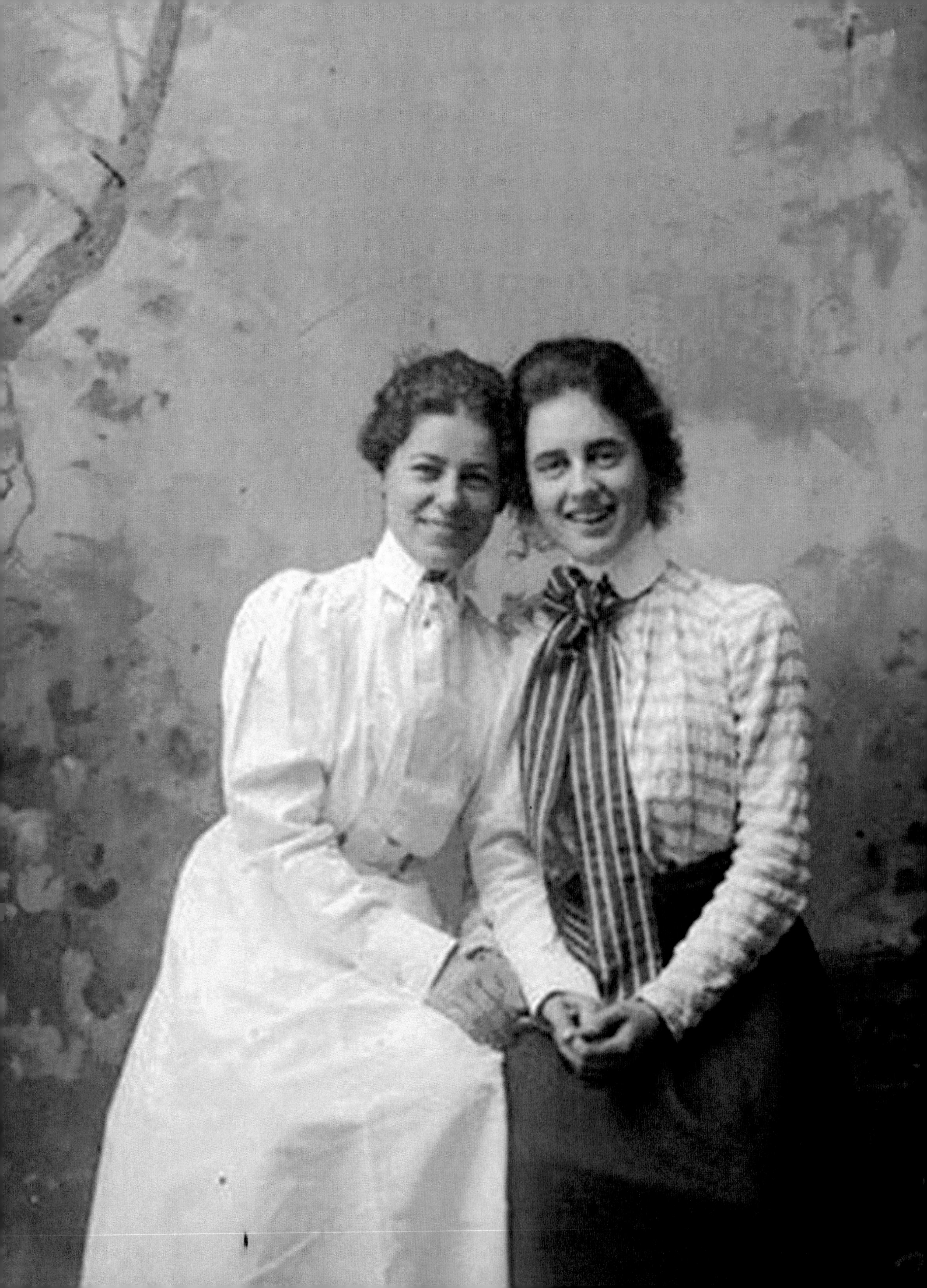

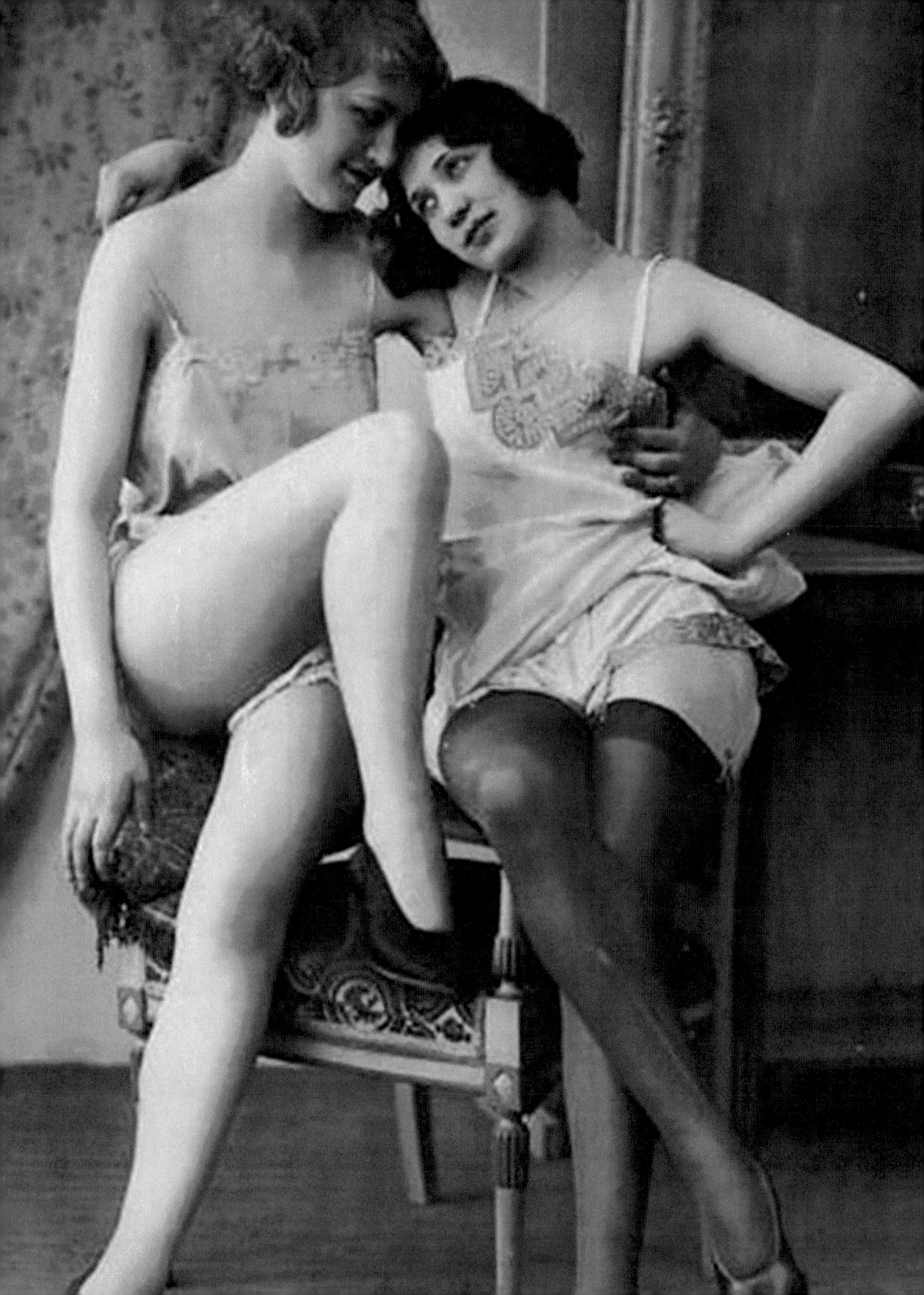

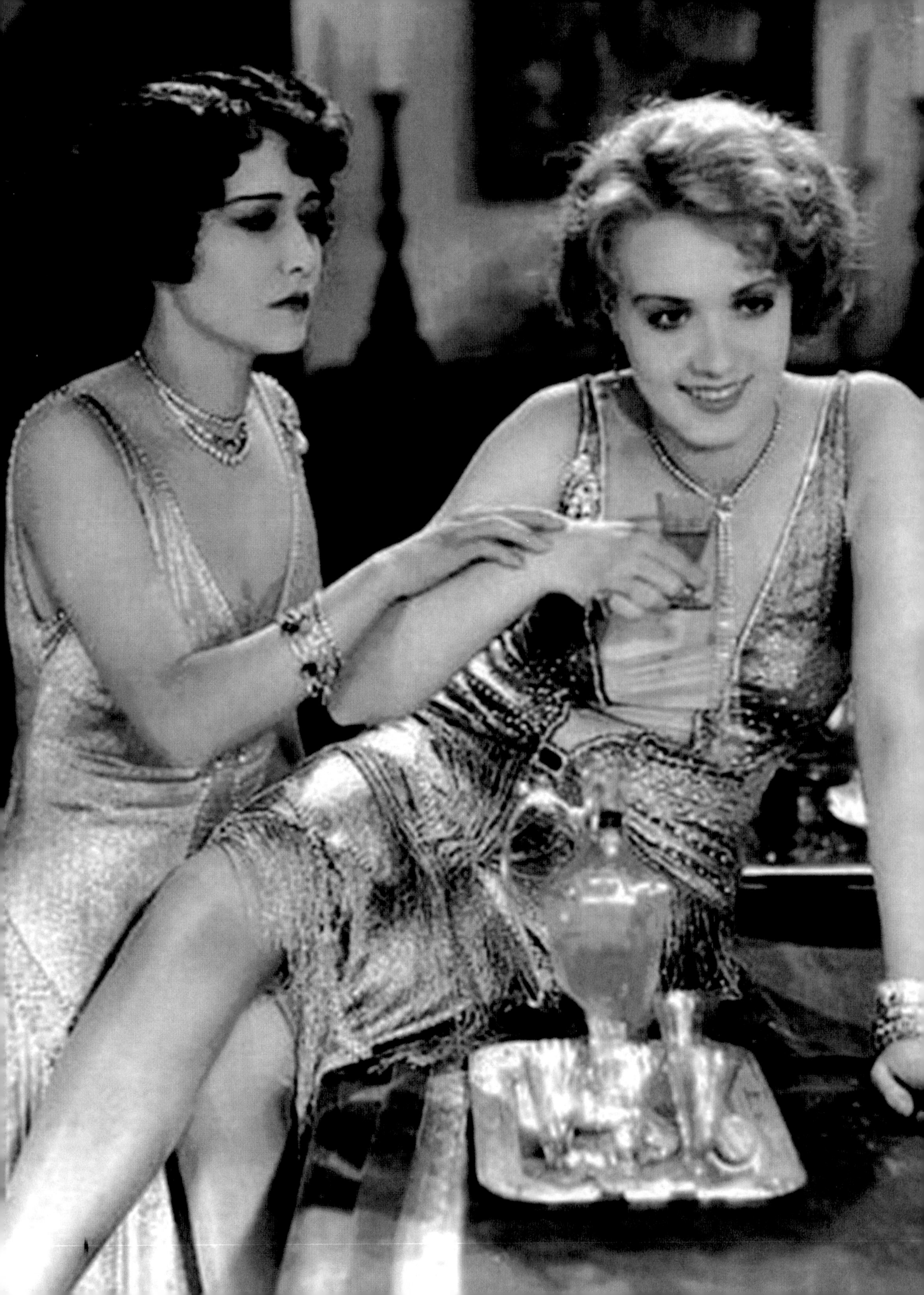

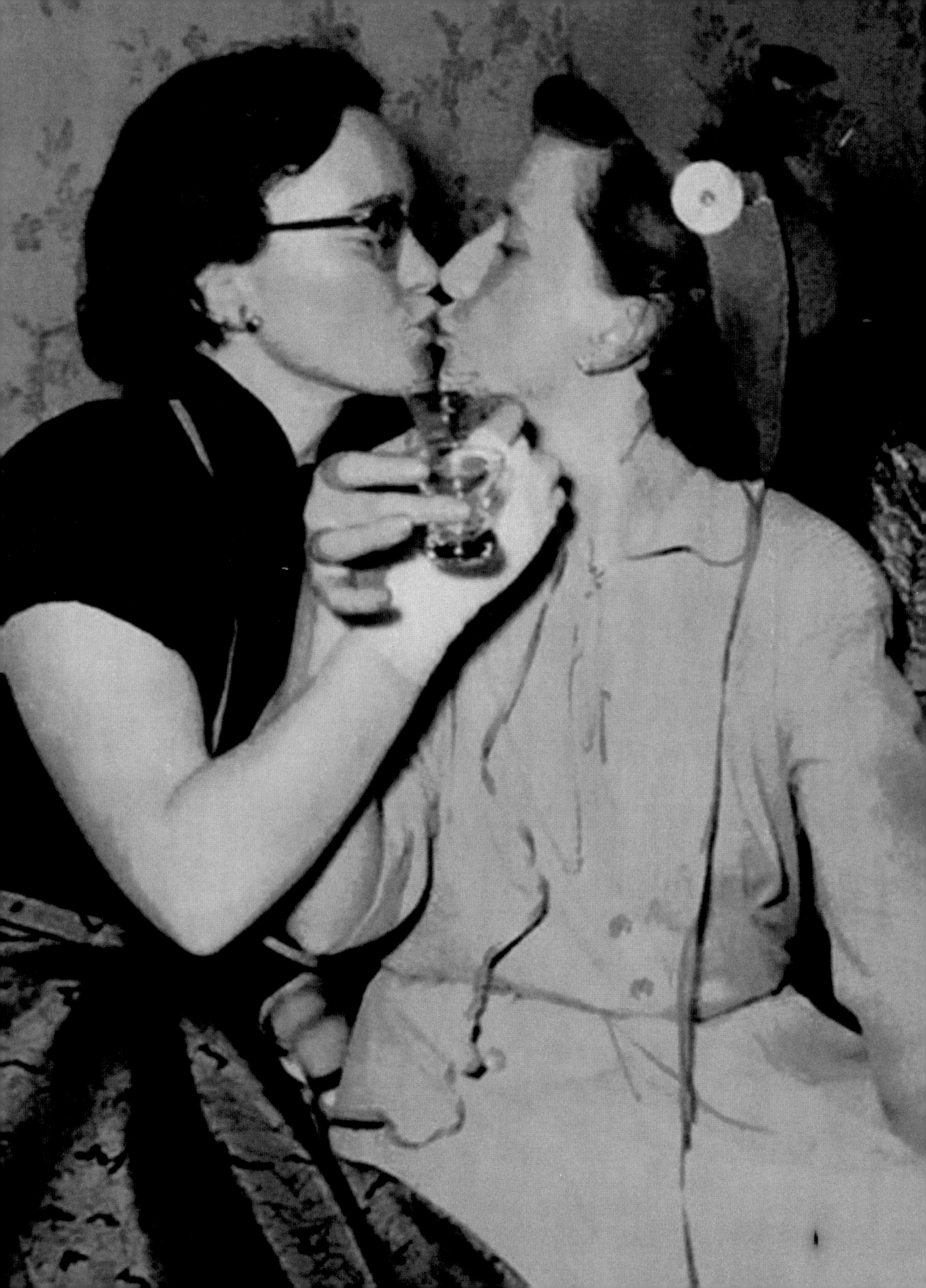

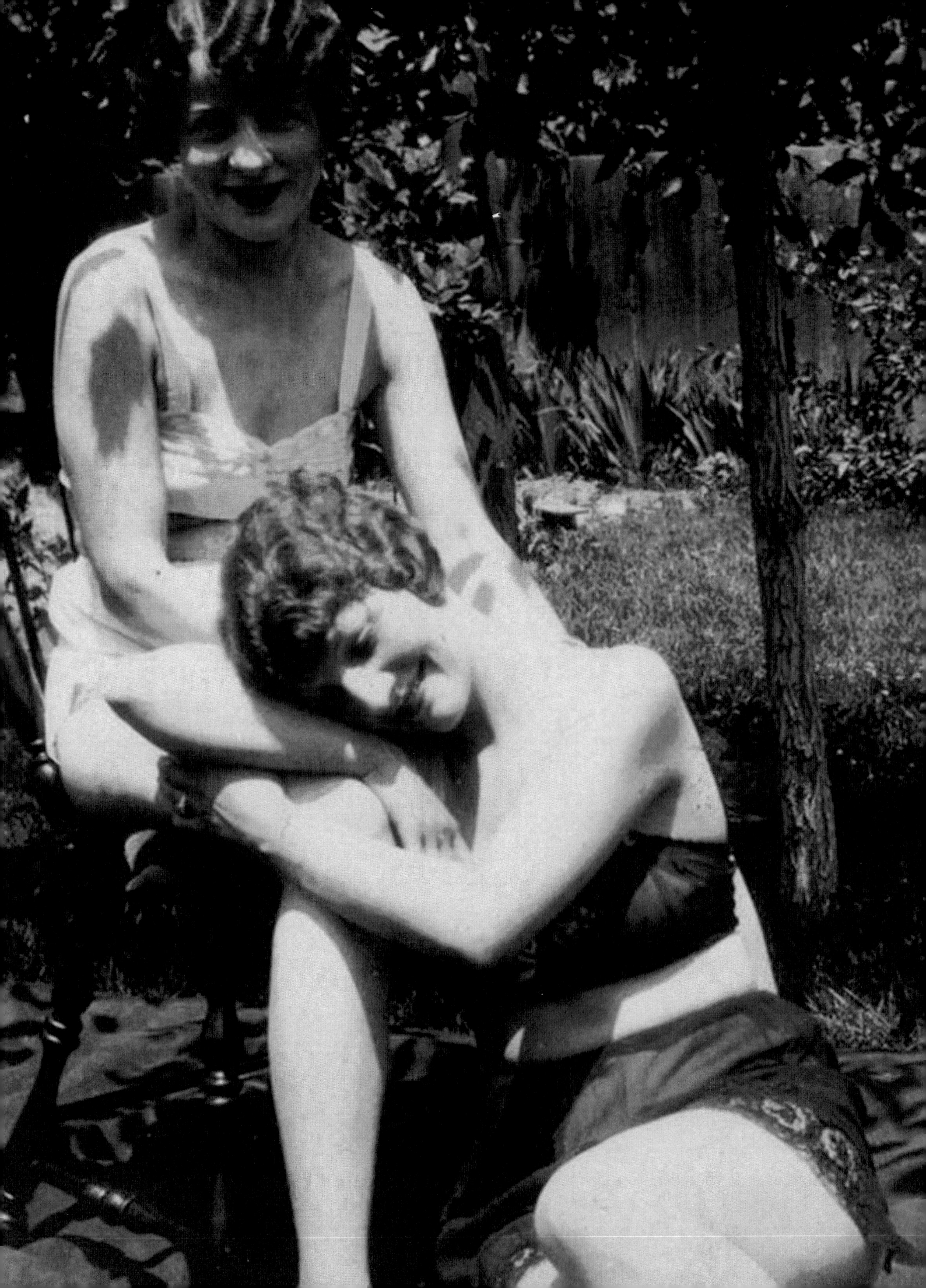

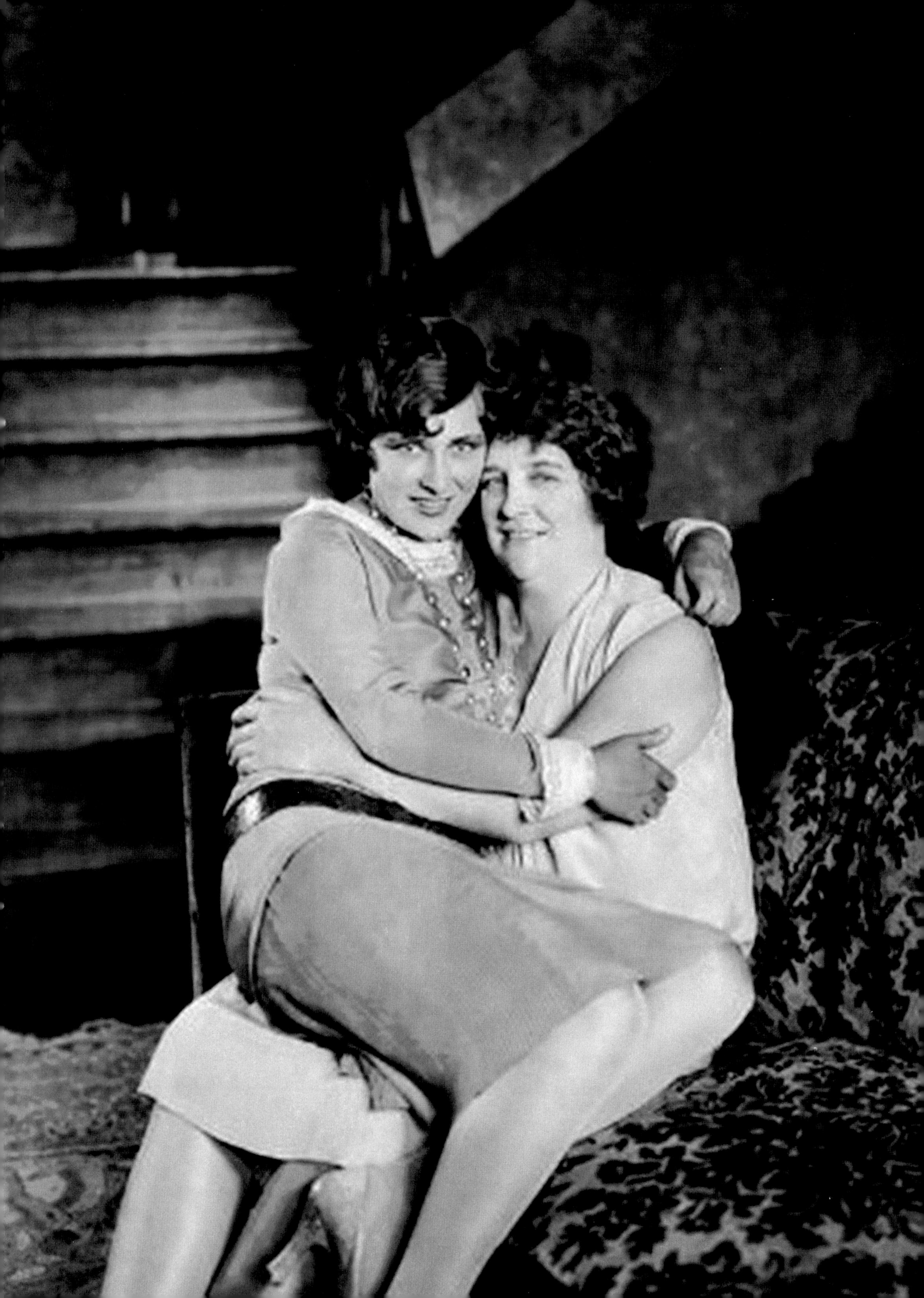

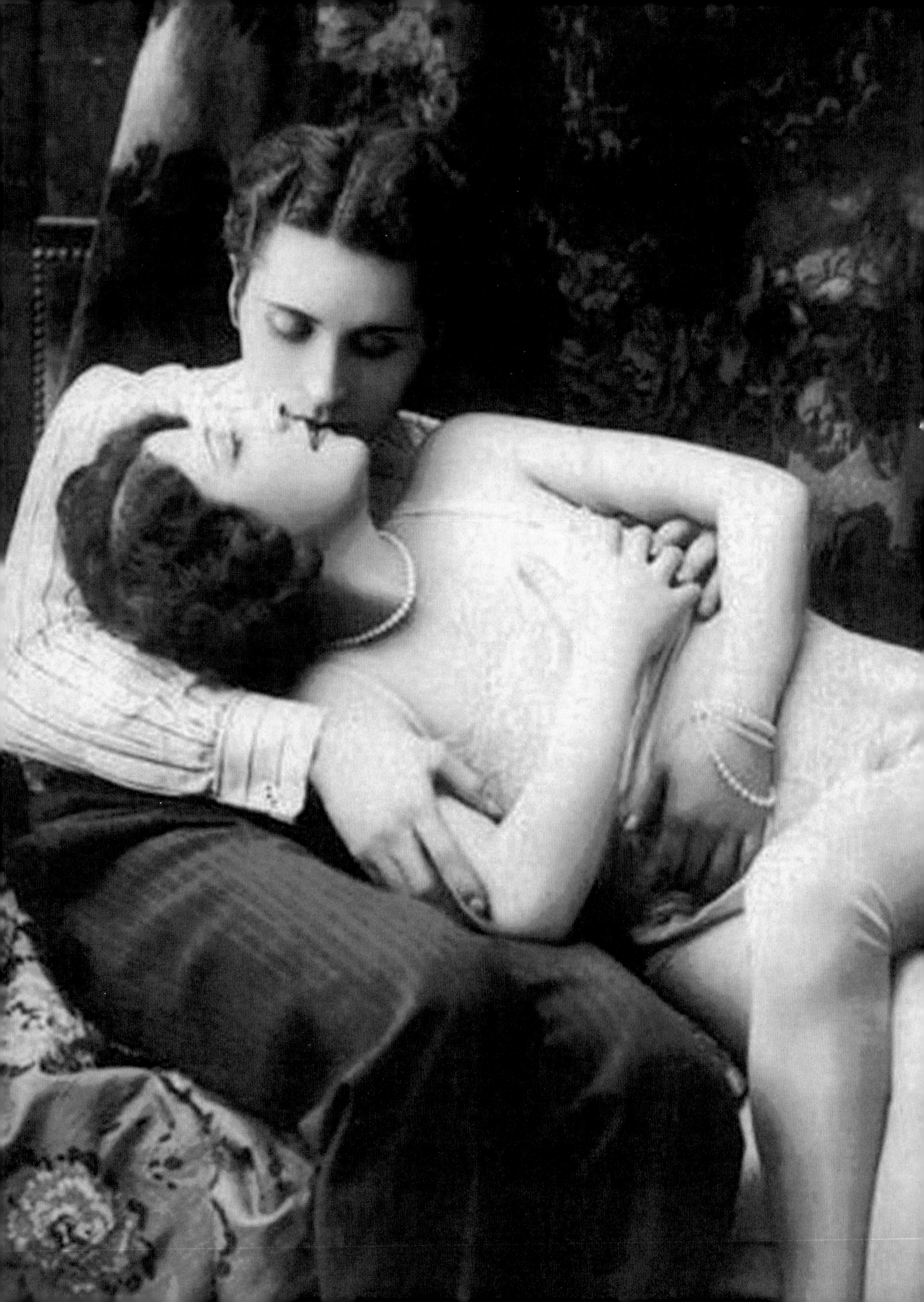